アメリカ文学のレッスン

柴田元幸

講談社現代新書

前口上

　この本はエピローグを含めて十一章に分かれていて、各章「名前」「食べる」「建てる」等々、何らかの鍵言葉を設定して、その言葉から思いつくアメリカ文学の作品を数点ずつ紹介している。一つひとつの作品について述べていることはそれほど目新しい話ではなく、アメリカ文学研究者のあいだでは常識・旧聞・昨日のニュースに属する事柄がほとんどだと思う。強いて新味があるとすれば、ふつうはあまり結びつけて語られることのない作品同士を、強引に三題噺《さんだいばなし》的に結びつけて語ったことか。べつに系統だった論の積み重ねがあるわけではないので、どの章からお読みいただいても構わない。いろんなものをランダムにつまみ食いしていくなかでアメリカ文学の全体像が何となく浮かび上がれば、というのが一応の到達目標であったが、実のところ書く方も、全体像なんてよくわかっていないのである。でもまあとにかく、古い作品も新しい作品もなるべく同じ土俵の上に並べて、幕内力士たちの土俵入りみたいなものになるよう努めた。

この本は結局『アメリカ文学のレッスン』というタイトルに落着いたが、これに決まるまでには『アメリカ文学人生模様』も対抗馬として有力だったし、大穴としては『アメリカ文学に学ぶ　人生を棒に振る法』というのもあった。新たに書いたエピローグを除いて、雑誌『本』で一九九九年八月号から二〇〇〇年五月号まで行なった連載「アメリカ文学講義ノート」に加筆訂正を施して出来上がった本であるが、連載中は知っている人からも知らない方からもいろいろコメントをいただき、大変勇気づけられた。で、面白かったのは、寄せられたコメントというのが、こちらの書いたアメリカ文学に関する話を、御殿のような家を建てて家庭が崩壊した向かいのお爺さんの話とか、離婚を決めた日に「破滅」の章を読んでなぜか妙に元気づけられたご自分の話とかいった、読者ご自身が知る現実の人生と結びつけたものが大半であることだった。僕としては、べつに僕自身人生の達人でも何でもないわけだし、「人生」について語るつもりはまったくなく、それをいえば「文学」について語るつもりもあまりなく、ただ個々の作品について語ろうという気しかなくて、連載で紹介した作品について読者の皆さんが想像をたくましくしたり実際に作品を手にとってみたりしてくださったら、と思っていただけだったので、そうやってご自分や知りあいの生き方に引きつけてお読みいただけたことは、とても嬉しい驚きだった。

というわけで、一時は『アメリカ文学人生模様』というタイトルがかなり優勢だったのであるが、こっちから「これは人生論です」と謳《うた》うみたいなのもちょっとなあ、と思い、最終的に『アメリカ文学のレッスン』に決めた。アメリカ文学について情報を提供する本、という意味と、アメリカ文学から教わること（時にはストレートな教えとして、時には反面教師的な教えとして――どれがどっちかは読む人それぞれだろうが）という二つの意味を意図したタイトルである。

現在、アメリカの現代文学の作品は比較的多く紹介されているが、古典は絶版になっていることも多く、案外その姿が見えにくくなっている。そういうアンバランスを、この本が少しでも解消できればこんなに嬉しいことはない。なお、引用した作品の訳文はすべて柴田訳だが、既訳があるものに関してはいくつか参照させていただいた。訳者の方々にお礼を申し上げる。

目次

名前

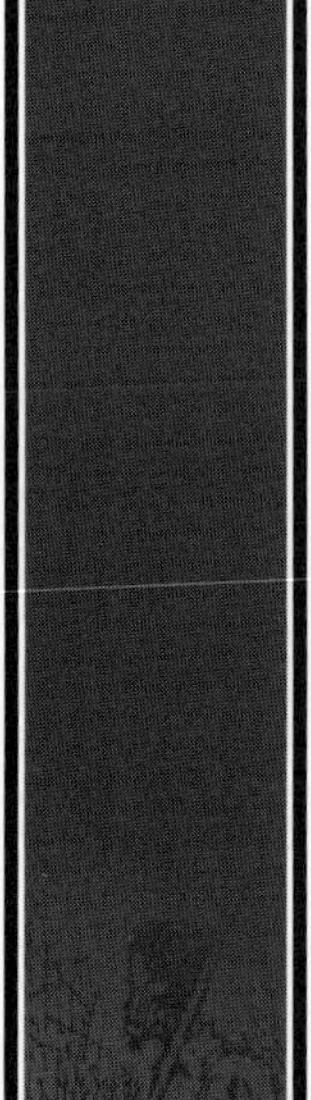

私に近づいてくるとき、人が見るのはもっぱら、私の周囲であり、彼ら自身であり、彼らの想像力の生み出す絵空事であり、とにかく私以外のありとあらゆるものなのだ。——ラルフ・エリソン『見えない人間』

『トム・ソーヤーの冒険』（一八七六）、『ハックルベリー・フィンの冒険』（一八八四）はどちらもマーク・トウェインによる少年小説の古典ということになっているが、この二冊、実は相当違った本である。

大きな違いは二つある。まず、主人公の違い。これは二人の少年の将来を思い浮かべてみればよくわかる。まず、四十歳になったトム・ソーヤーを想像するのは易しい。悪戯っ子のようでいても、母親代わりの小母さんにそれなりに気を遣ったりして、子供のころから十分社会性のあるトムは、四十になったころにはきっとそれなりの成功を収め、町の名士になりロータリー・クラブか何かにも入って、「わしも昔は悪さをしたもんです、わっはっは」と太鼓腹をつき出しながら笑っていそうである。けれども、どんな組織、どんな共同体にいてもいずれ居心地悪さを覚えてしまうハックルベリー・フィンの四十歳になった姿というのは、ちょっと想像がつかない。トムが方向性としてはすでに中心(大人の世界)に向かいはじめた求心的な少年であるのに対し、ハックはあくまで中心にかかわらずに生きていたい遠心的な少年である。

二つめの大きな違いは、文体である。『トム・ソーヤー』の方が、幸福な少年時代を回想する大人の視点から語られた落着いた文章であるのに対し、『ハックルベリー・フィン』は、浮浪児ハック自身の、文法も綴りも実に怪しい、だが少年が見ている世界の手ざわりが生き生きと伝わってくる文章である。この文章抜きにこの小説は考えられない。四十歳になったハック同様、四十歳の視点から語られた『ハックルベリー・フィンの冒険』という小説も想像不可能である。

それは長くて白いガウンをきたわかい女の人の絵だった。橋のらんかんに立っていまにもとびおりようとしているその人は、髪の毛を背中に長くたらして、月をみあげていて、顔には涙がながれていた。で、二本の腕を胸のところで組んでるんだけど、別の腕が二本前につきでていて、それと別にもう二本、月にむかってのびてるんだ。どれがいちばんいいか見てみていらなくなったのを消すつもりだったらしいんだけど、さっきもいったとおりきめる前に本人は死んじゃったわけで。家の人たちはこの絵を彼女のベッドのまくらもとにかけて、誕生日がくるたびに花をかざって、それ以外のときは小さいカーテンでおおっていた。絵のなかの女の人は、感じのいいやさしそうな顔をしてたけど、なにしろ腕が多すぎて、なんかクモみたいにみえた。

(『ハックルベリー・フィンの冒険』十七章)

死をめぐる感傷的なイメージの滑稽《こっけい》さがよく伝わってくる一節だが、ここで大事なのは、こうした感傷癖の滑稽さを我々に伝えながらも、ハック自身はそれを少しも笑っていないことだ。J・D・サリンジャーの『ライ麦畑でつかまえて』(一九五一)が『ハック』の二十世紀版だとはよく言われることだし、ある面ではそのとおりだが、二言目には他人のインチキさを声高に批判しないと気の済まないホールデン・コールフィールドは、ハックのこうした「人の好さ」を継承してはいない(むろんそのぎこちない声高さがホールデン独自の魅力だが)。ハックはここで、観察はするが批評はしない。でも我々には、何が滑稽かがわかる。ハックは自分が自覚している以上のことをしばしば我々に伝える。それが彼の語りの魅力である。

そもそも、自由を求めて文明から逃れつづける少年、といったイメージで捉えられがちなハックだが、実はこれほどつきあいのいい主人公も珍しい。ダグラス未亡人のところに引きとられれば、学校へもそこそこに行って読み書きや九九を勉強する（6×7は35だと思ってるみたいだが）。結局はそうした世界から離れていくものの、それとて自分から積極的に逃げ出すわけではなく、乱暴者の父親に連れ去られるのである。逃亡奴隷ジムと二人でのんびり暮らしている筏《いかだ》に王、公爵を自称するペテン師二人が住みついてしまっても、うっとうしいなあと思いつつも積極的に追い払いはせず、はい王様はい公爵様、とそれなりに相手の機嫌をとりさえする。そして最後にフェルプス農園で、ジムを逃がしてやる段になっても、ハック自身としては番人から鍵を盗んでさっさと連れ出せばいいと思うものの、バカだなお前脱出には作法ってものがあるんだフランスのナントカって伯爵なんて三十七年穴掘って出た先が中国だったんだぞ、と、万事「本のとおり」にやらねば気の済まぬトム・ソーヤーに言われて、そんなものかなあと首をひねりつつもそれにつきあってしまう。とにかく、めったなことでは自分を出さないのだ。

自分を出さないといえば、『ハックルベリー・フィンの冒険』と題されていながら、実はハック自身は単なる傍観者にすぎない「冒険」がずいぶん多いし、「冒険」の最中にハックはたいてい名前や身分を隠している。町の様子を探りに民家に行くときは女の子に変装してセアラ・ウィリアムズと名のり（もっとも数分後にはメアリ・ウィリアムズと言って相手に疑われてしまうが）、グランジャーフォード家に居候するときは一家と死に別れた少年ジョージ・ジャクソンと身元をいつわり、王・公爵のペテン師コンビと一緒になればイギリス人従者アドルファスに変貌する（これも全然説得力なし）。そして何より、結末近くに至りフェルプス農園では、トム・ソーヤーと間違えられたのをいいことに、そのままトムを演じるのである（そして、やがてそこに現われたトム本人は弟シド・ソーヤーを演じる。これは、〈浮浪児ハック⇔腕白トム〉の関係が〈腕白トム⇔優等生シド〉の関係と並行であることを暗示している）。ハックルベリー・フィンの冒険は、ハックがハックでなくなることによって成立すると言っても過言ではない。そもそも、ダグラス未亡人の体現する「文明」と、父親の体現する「野蛮」の両者から逃げるときも、ハックはまず、豚を殺し自分の死を偽装して、「ハックルベリー・フィン」の存在を抹殺することからその逃避行を開始するのだ。

名前を変え、身分をいつわり、なるたけ自分を消すことによって、筏という楽園に流れ込んでくる社会を何とかかわしていく、というのがハックの基本的行動パターンである。自由を求めて戦う反逆児というよりもはるかに、人の好さが身上の事なかれ主義者、それがハックルベリー・フィンなのだ。"I never said nothing."(「言いたいことはあったけど」おれ、何もいわなかった)とはハックの口癖だが、文法的間違いも含めて、いかにも彼らしい言葉である。

むろん、「自由」というイメージがまったく見当はずれというわけではない。ハックが逃亡奴隷ジムとともに筏で悠然とミシシッピを下る情景といえば、アメリカ文学におけるもっとも有名な「自由」のイメージだろう。だが――

それから川のさびしさをながめながら、のんびりすすんでいって、そのうちうとうとねむってしまう。またそのうち目をさまして、なんで目がさめたんだろうとおもってみてみると、蒸気船が上流に、こほこほセキでもするみたいにのぼっていくんだけど、ずっとむこうっ側を走ってるもんだから、船の外輪がうしろについてるか横っ腹についてるかくらいはわかるけどそれ以上は何もわからない。それから、一時間ばかり、何も聞こえないし何もみえなくて、ずっとしり手にとれるようなさみしさがあるだけ。と、いかだがひとつ、ずっと向こうの方ですうっと流れていくのがみえて、どっかのおっさんがそのうえで薪をわってたりする。いかだのうえってたいていだれかが薪わってるんだよな。斧がきらっとひかって、おちていくのがみえる――

音は何もきこえない。また斧があがるのがみえて、それがおっさんの頭のうえにもちあがるころに、カチャンク！と音がきこえる。音が水のうえをわたってくるのにそれだけかかったわけで。そんなふうにおれたち、のんびり静けさに耳をすましながら一日をすごしてた。あるとき、濃い霧がでて、とおりすがるいかだやら何やらがみんな、蒸気船にぶつかられないようにブリキなべをがんがんたたいてた。平底船だかいかだだかがすぐそばをとおっていって、しゃべったりアクタイついたりわらったりするのがはっきりきこえるくらい近いんだけど、姿はぜんぜんみえないんだ。なんだか薄気味わるかった。なんかまるっきり、亡霊たちが空中でさわいでるみたいで。（十九章）

「何もわからない」「何も聞こえないし何もみえなくて」「何もきこえない」。筏暮らしの心地よさは、おおむね否定文で語られる。うっとうしい社会は、音速が有限であることが実感できるほど隔たっている。ハックにとって自由とは、快が在るというよりは、不快が非在であることを意味する。

とはいえ、「姿はぜんぜんみえな」くても、社会の脅威は、亡霊の薄気味悪さをもってつねにすぐそばに控えている。そして、事なかれ主義者とはいえ、脅威があまりに大きくなればハックも黙っていない。たとえば、可憐なウィルクス三姉妹が、彼女たちの遺族になりすました王と公爵によって家も財産も奪われる危険にさらされると、ハックは彼女たちを救う行動に出る。ここでの積極性が、このあとの、作品中もっとも有名な、他人の「財産」を奪うことになると知りつつジムの逃亡をとことん助ける決意をするエピソードへの助走になっていると見てよいだろう。

が、ウィルクス三姉妹のなかでもっとも可憐なメアリ・ジェーンが、真相を告げてくれたハックに心から感謝する場面で、彼女はハックのことを一度も名前で呼んでいない。これは読んでいてかなり不自然である。英語では、対話のなかで相手の名前を時おり口にするのはごく自然なことであり、特にここのように感謝の念きわまっているとなれば、救世主の名をまったく呼ばないのは何とも不自然である(しかもハックは相手を「ミス・メアリ」「ミス・メアリ・ジェーン」と計十二回呼んでいる)。これはどういうことか。

ここでハックは、自分の身分を明かしてはいないから、「ハック」と呼ばれるわけにはいかない。相手が信用できるときでも、ハックは身の安全を考えて、本当の正体を明かしはしないのだ(ハックの女装を見破った善人のおばさんに「本当の名前を言ってごらん」と言われても、彼は偽の自叙伝を語り「ジョージ・ピーターズ」と名のる。おばさんもその嘘を見抜いて、「今度はエレグザンダーとか名のるんじゃないよ」とか言いながら彼を許す。この鷹揚さがとてもいいのだが、まあそれは別の話)。さりとて、メアリ・ジェーンに対しては、ペテン師の従者アドルファスという仮面もすでに脱いで、「真人間」としての姿をさらしているから、「アドルファス」と呼ばれるのも具合が悪い。結局このエピソードは、ハックを英雄として持ち上げるには好都合だが、カメレオンのように自分をめまぐるしく変化させて社会をかわす、という彼の本領からはややずれていて、それがこうした不自然さを呼んでいるように思える。

*

黒人作家ラルフ・エリソンの長篇『見えない人間』(一九五二)で、エマソン・ジュニアという脇役が『ハックルベリー・フィンの冒険』に言及する箇所がある。父エマソンへの紹介状を携え、職を求めて訪れた主人公の黒人青年に、エマソン・ジュニアはこう言う。

僕が言おうとしたのは、君のことは僕もいろいろ知ってるってことさ——君個人っていうんじゃなくて、君のような人たちのことをね。まあ大して知ってるわけじゃないけど、それでも平均よりずっとましだと思う。我々はいまだにジムとハック・フィンなんだ。僕にはジャズ・ミュージシャンの友だちも何人かいるし、僕もあちこちでいろんなことを見聞きしてる。(……)

君が近づこうとしてる世界も僕は知っている。そのよさも、そのおぞましさも――ふん、そう、おぞましさもね。親父に言わせりゃ僕の方こそおぞましいってことになるんだろうけどね。ハックルベリーなんだよ、僕はね……（『見えない人間』九章）

なぜハックルベリーが「おぞましい」のか。まず思いつくのは、保守的な父親から見れば、黒人と交わろうとするなんておぞましい、ということだが、どうもそれだけにしては話しぶりが屈折しすぎている。実は、この前後の言動からして、エマソン・ジュニアは明らかにゲイであることが読者には見えている。そして、この小説が発表される数年前、批評家レスリー・フィードラーがハックとジムとのあいだにホモセクシュアルな関係を読みとって物議をかもしていた（その後フィードラーは、白人男が白人女から逃れて有色人種の男の腕のなかに逃げ込むことこそアメリカ文学の原型だと論じ、さらに物議をかもすことになる）。「ハックルベリーなんだよ、僕はね」という言葉で、エマソン・ジュニアは自分がゲイであることを自嘲気味に明かしているのである（ちなみにエリソンはフィードラーの読み方に批判的だった。だから、このいささか情けない人物にフィードラーの読みに通じる発言をさせることで、暗にフィードラーを批判したのかもしれない）。

が、ここで大事なのはむしろ「我々はいまだにジムとハック・フィンなんだ」の方である。つまり、ジム（黒人）はいまだ、ハック・フィン（白人）が「発見」すべき他者にとどまっているということだ。十九世紀末に書かれた『ハックルベリー・フィンの冒険』で、ハックはジムの人間らしさを途中で「発見」するが、ジムははじめからハックの人間性を認めている。そうした非対称的な事態は、二十世紀なかばに至っても変わっていないのだ――そうエマソン・ジュニアは言っているように思える。

『見えない人間』の主人公は、自己実現の場を求めて南部からニューヨークへやって来て、共産党とおぼしき「友愛団《ブラザーフッド》」に入り、結局地下での「冬眠生活」に行きついて、盗んだ電気で一三六九個の電球をともし、蓄音機でルイ・アームストロングの“(What Did I Do to Be So) Black and Blue?”（こんなにブラックでブルーになるなんていったい俺が何したっていうんだ＝black and blueは「殴られて青あざだらけ」の意だが、「黒人《ブラック》で悲しい《ブルー》」の意にもとれる）のレコードをかけて暮らしている。地理的・社会的に遍歴していった末にそうやって一種の「待機モード」で終わる主人公の姿は、やはり結末でサリー小母さんの家から逃げ出す機会をうかがっているハックルベリー・フィンと重なりあう。だが今回は、ハックルベリー・フィンの冒険ではない。黒人ジムの冒険である。

ところが、この二十世紀版ジムには、名前がない。いや、名があることはあるし、

「私は自分の名前を書かされた」「彼は私の名を呼んだ」等々、名があること自体は作品中くどいほど強調されているのだが、主人公であり語り手でもあるこの人物は、最後までその名を明かさないのだ。短篇ならともかく、五百ページを超える大作の主人公が名なしというのは、かなり異様なことである。が、小説の序章の書き出しを見ると、この異様さもひとまず納得がいく。

私は見えない人間である。いや、といっても、エドガー・アラン・ポーにとり憑《つ》いたようなお化けではないし、ハリウッド映画でおなじみの亡霊でもない。ちゃんと実体のある、肉と骨、繊維と体液から成る人間であり、精神だって所有しているとさえ言えるかもしれない。私が見えないのは、ひとえに人々が私のことを見ようとしないからだ。サーカスの余興で時おりお目にかかる胴なし首みたいに、固い、像を歪める鏡に四方を囲まれているような按配《あんばい》なのだ。私に近づいてくるとき、人が見るのはもっぱら、私の周囲であり、彼ら自身であり、彼らの想像力の生み出す絵空事であり、とにかく私以外のありとあらゆるものなのだ。

黒人である主人公を、白人社会は一方的に意味づける。一見もっとも黒人に理解のありそうな友愛団でさえ、友愛団用の名前を彼に押しつける。ハックはさまざまな名をその場その場で捏造《ねつぞう》し、自分を変幻自在に意味づけていた。だがジムの末裔《まつえい》たる「見えない人間」にそうした自由はない。黒人を「発見」しようという気のあるエマソン・ジュニアのような白人はまだいい方であって、ほとんどの白人は、彼らにとっての「意味」しか黒人のなかに見ていないのである。

もっとも、それだけがこの小説の眼目だったら、とうてい五百ページも必要あるまい。『見えない人間』で魅力的なのは、作品中に盛り込まれた黒人霊歌、民話、ジャズなどの音楽的要素、そしてユーモアと恐怖が混在した一連のドタバタシーンである。白人から注がれる「意味づける視線」に対抗して、そうしたもろもろの音楽的要素に鼓舞されつつ、暴動やら大喧嘩やら、死や破滅と隣りあったドタバタをくぐり抜けるたびに主人公のなかで何かが少しずつ変わっていく、というのがこの小説の基本的な流れだ。いささか古くなった感のある共産党批判（むろんそれは共産党に対する当時の期待の大きさを物語っている）とは違って、小説を貫くこうした猥雑なエネルギーはいまだ古びていない。マイノリティの文学で、「彼ら」（白人社会）に対抗して「我々」を打ち出すために土着的文化に訴える、というのは現在よく見られる姿勢だが、それはすでに『見えない人間』において実に豊かな形でなしとげられている。

そうした混沌のエネルギーに運ばれて、主人公は「自分は自分でしかない」という認識に至るが、結局最後まで自分の名は明かさない。むしろ名を明かさないことが、積極的なメッセージになっているのだ――何も見ていない白人の視線によって黒人のアイデンティティが規定されるかぎり、黒人が真の意味で名を持つこともありえない、というメッセージに。そしてそのメッセージは、(不幸なことに)現在でも十分切実だろう。

*

ニューヨークは尽きることのない空間、無限の階段から成る迷路だった。どれだけ遠くまで歩いても、街並や通りをどれだけよく知るようになっても、彼はつねに、迷子になったような思いに囚われるのだった。都市のなかで迷子になった、というだけではない。自分のなかでも迷子になったような思いがしたのだ。散歩に行くたびに、彼はあたかも自分自身を置いて出かけていくような気分を味わった。街の動きに身を任せ、自分を一個の目に還元することによって、考える義務から逃れることができた。そのことが、ほかの何にもまして、彼にある種の平安をもたらし、好ましい空虚を彼の内にもたらした。世界は彼の外部に、彼の周りに、彼の前にあった。世界が刻々と変化していくその速度が、ひとつのことを長く考える余裕を彼に与えなかった。動くこと、肝腎なのはそれだった。一方の足をもう一方の足の前に出し、自分の体の流れにただついて行く。あてもなくさまようことによって、すべての場所は等価になり、自分がどこにいるかはもはや問題でなくなった。散歩がとてもうまく行ったときには、自分がどこにもいないと感じることができた。そして結局のところ、彼が物事から望んだのはそれだけだった——どこにもいないこと。ニューヨークは彼が自分の周りに築き上げたどこでもない場所であり、自分がもう二度とそこを去る気がないことを彼は実感した。

——ポール・オースター『シティ・オヴ・グラス』(一九八五)冒頭の一節。主人公ダニエル・クィンは、妻も子も亡くし、ニューヨークで世捨て人のように暮らしている。ウィリアム・ウィルソンという筆名(これはポーの有名な分身小説の主人公の名)で探偵小説を書いて生活の糧を得ており、人づきあいもまったくなし。ダニエル・クィンという名前の意味は限りなくゼロに近い。

ここで引用したのは、クィンの趣味が散歩であることを述べた一節だが、マンハッタンのど真ん中でありながら、ここで語られている空間の快さは、ハックとジムが棲《す》んだ筏の世界の快さにどこか似ていないだろうか。筏で川を下る快さが、不快の非在から成っていたとすれば、ニューヨークの街を歩く快さは、自己そのものの非在感から成っている。できる限り自分を消すというハックの身上は、クィンにおいていっそう推し進められている。ニューヨークとは、クィンが作り出した二十世紀のミシシッピ川だと言ってもいいかもしれない。

が、筏の楽園が、王や公爵の侵入によってその平和を妨げられたように、クィンの楽園もやがてその調和を乱されることになる。よりによって彼は、間違い電話をきっかけに、ポール・オースターという名の探偵を演じる破目になるのだ。『シティ・オヴ・グラス』の真の物語はそこからはじまる。

食べる

おれには健康がある、しっかりたくましい動物的な健康が。おれと未来とのあいだに立ちはだかっているものはただひとつ、それは食事だ、次の食事だ。——ヘンリー・ミラー『北回帰線』

ヘンリー・ミラーの第一作『北回帰線』は、作者と同じくヘンリー・ミラーという名の、パリで窮乏生活を送っているアメリカ人を語り手兼主人公とする小説である。一九三四年にパリで出版されたが、アメリカでは猥褻《わいせつ》であるという理由で長いあいだ発禁状態がつづき、一九六一年にようやく出版された。

だが、最近スティーヴ・エリクソンも指摘しているように、実際に『北回帰線』を読んでみると、たしかに奔放な性描写は時おり出てきて、それを猥褻と言えば言えなくもないのだが、では主人公ヘンリー・ミラーの主たる関心がセックスにあるかというと、それはかなり怪しいように思える。仲間のなかには、性的冒険に明け暮れる者もいないわけではない（奔放な性描写も、むしろそういう「他人事《ひとごと》」が多い）が、ミラー自身は性に対して時おり興味を示すだけだし、その興味もほとんど投げやりという印象を受ける。

おれたち二人とも全然その気になってやしない。女の方だって、この女に情熱のかけらを期待するなんて、ダイヤのネックレスを出してみろって言うようなものだ。でもとにかく十五フランで話は決まってるんだし、何かしないわけにもいかない。戦争みたいなものだ——戦闘状態がはじまったとたん、みんな平和のことしか、さっさと終わらせることしか考えなくなる。なのに誰も、武器を置いて「もううんざりだ……おれはやめる」って言うだけの度胸が出ない。とにかくどこかに十五フランがあって、そんな金もうみんなどうでもいいと思ってるし、どのみち結局誰の手にも渡りやしないのに、その十五フランが物事の根本原理みたいになってしまっている。自分の声に従って、そんな根本原理なんか捨ててさっさとおさらばすればいいのに、状況に屈してしまって、えんえん殺しあいをつづける。怖気づけば怖気づくほど、かえって勇敢にふるまったりする。（……）女がおれに情熱の炎を吹き込もうと奮闘していると、おれは思ってしまう――もしこんなふうに間抜けにハメられて戦場へ連れていかれでもしたら、おれはさぞ情けない兵士になるだろうな、と。戦争のごたごたから抜け出すためだったら、名誉だって何だってくれてやると思う。とにかくその気になれないんだから仕方ない。ところが女は、何はなくとも十五フラン、と心に決めてるから、こっちに戦う気がないんなら無理にでも戦わせようとしてくる。だけど戦意のない男の腹に戦意を吹きこもうったって、できっこないわけで……

少なくともこの『北回帰線』については、ミラーに関して抱かれがちな、性の求道者といったイメージはあまりあてはまらない。むしろここでのミラーは、職を探しているときの方が、女性を追いかけているときよりまだしも（職探しだって相当投げやりなのだが）真剣な気がする。

では、この小説において、ミラーがセックスの代わりに固執しているものは何かあるだろうか。イエス。食べることである。

「お前ときたら、おれが食事の話をするだけで目をぎらぎらさせるんだからな！」とカールは言う。そのとおりだ。食事のことを――次の食事のことを――考えただけで、おれはいっぺんに若返る。食事！　つまりそれは、何かめざすものがあるってことだ。何時間かみっちり働くとか、ひょっとしたら勃起するとか、それは否定しない。おれには健康がある、しっかりたくましい動物的な健康が。おれと未来とのあいだに立ちはだかっているものはただひとつ、それは食事だ、次の食事だ。

食事と食事のあいだに、「ひょっとしたら勃起する」こともあるかもしれない。「それは否定しない」。だが大事なのは三度三度の食事の方なのだ。べつに、パリジャンよろしく華麗にグルメしようというのではない。とりあえず腹がふくれれば十分なのだ。この目的を果たすため、ミラーは知人たちに「週に一度、おれにメシを食わせてくれないか？　何曜日が一番都合がいいか知らせてくれ」と手紙を書きまくる。この思いつきは功を奏し、彼は毎日御馳走にありつくことになる。みんなふだんから、食事やら何やらをたかりに来るミラーのことをうっとうしく思っているので、「週一度で済むなら」と喜んで飲み食いさせてくれるのだ。「おれには金もない。手に職もない。希望もない。おれは誰よりも幸福な男だ」という第一ページでの一見矛盾した断言が、こういうしたたかな意地汚さのみから生じているとは言わないが、少なくともそれが不可欠の要因であることは間違いない。作家志望の人間が都市で窮乏生活を送る自伝的作品、というかぎりではノルウェーの作家クヌット・ハムスンの『飢え』（一八九〇）も同じだが、あちらの主人公はほとんどいつも餓死寸前の空腹に苛まれ、それと並行して強い自己憐憫の情に苛まれている。えらい違いである。

あるいはまた、ロンドンとパリでやはり窮乏生活を送り、「貧乏で一番つらいのは空腹よりも退屈だ」と実感をこめて述懐し、最後の持ち金を食べ物でなく煙草に使うだけの貧乏ダンディズムを保っていたジョージ・オーウェル（『パリ・ロンドン放浪記』［一九三三］）ともミラーはだいぶ違う。ちなみにオーウェルは『北回帰線』をいち早く評価した読み手の一人である。『北回帰線』がオーウェルを驚かせたのは、現代文明批判を盛り込んだ都市放浪記、という古典的な形式にのっとっていながら、それが「一人の幸福な男をめぐる本」であるという点だった（「鯨の腹のなかで」［一九四〇］）。

こうまとめると、この『北回帰線』という驚くべき書物を、「やっぱり人間、腹に何か入ってないとね」という健全な常識に還元してしまうことになるかもしれない。この作品を、小説という形式を最大限に破壊した極限的モダニズム小説として称揚する人たちからも、あるいは逆に、フェミニズムの視点から、ミラーが女性を性器の持ち主としてしか、あるいは食物を与える母親代理としてしか見ないことを糾弾する人たちからも、等しく叱られそうである。が、人間の理性に対する絶望の裏返しとして獣性を謳い上げるのでもなく、いわゆる自然回帰への憧れの発露として食べる行為を美化するのでもなく、ただ単に、人間が胃袋というそれ自体美しくも醜くもないものを持った存在であることを肯定すること、そのことが、『北回帰線』全篇を通じてミラーが示している「絶望なき虚無主義」ともいうべき姿勢と密接に結びついていることは間違いない。

そして、絶望なき虚無主義と密接に結びついていると思える要素がもうひとつある。『北回帰線』でミラーがたびたび口にする、激しいアメリカ文明呪詛である。

あっち［＝アメリカ］じゃみんな、いつの日か合衆国大統領になることしか考えない。潜在的には、誰もがみな大統領の素材なのだ。こっちは違う。ここでは誰もがみな、潜在的にはゼロだ。もし何か一丁前の人間になったとしたら、それは偶然であり、奇跡なのだ。ふつう、生まれた村を去る確率なんて千にひとつもない。脚や目を撃たれてなくす、なんて確率だって千にひとつだ。奇跡が起きて、将軍とか少将とかにでもならないかぎり。

だが、まさにチャンスがほとんどないからこそ、希望がほとんどないからこそ、こっちでは人生も楽しい。一日、一日ただ過ぎていく。昨日も明日もない。気圧計はいっこうに変わらないし、旗はいつだって半旗になっている。腕に黒いクレープの喪章をつけたり、ボタン穴に小さなリボンをつけたり、そして、運よくそれだけの金があったら、軽量の、できればアルミ製の義足を買えばいい。義足の身だってアペリチフを楽しむことはできるし、動物園で動物を見たり、新しい死肉を求めて大通りを年中うろついているハゲタカどもといちゃついたりすることだってできる。(……)とにかく、絶対に絶望しないこと。
カールとヴァン・ノーデンにおれが毎晩やかましく言っているのもその点だ。希望のない世界、だが絶望もなし。

ここでは基本的に、未来指向のアメリカが否定され、現在指向のヨーロッパが肯定されている。「希望のない世界、だが絶望もなし」という哲学にミラーがたどり着くためには、腹が満たされることと連結して、アメリカを離れヨーロッパへ渡ることが必要だったのだ。たしかに、ミラーにおいて往々にしてそうであるように、ここでも論理は一貫していないし(第一段落では脚をなくすことが「奇跡」が起きることと結びつき、第二段落ではそれが「奇跡」とは無縁の、ごく当たり前の暮らしと結びついている)、また、「軽量の、できればアルミ製の義足を買えばいい」といったあたり、無差別的な皮肉と悪意が、自分の肯定するものにも向けられていることは見逃せない。だが少なくともここで、アメリカ的な生き方が肯定されているのではないことだけは明らかだろう。
こうしたミラーのアメリカ呪詛が、アメリカの食べ物に向けられるときとりわけ激しくなることは、少しも驚きではあるまい。「生命の糧」（The Staff of Life＝ふつう、パンのことを指す）と題したエッセイ（一九四五—六）を、ミラーはこう書きはじめる。

パン——根本的なシンボル。美味いパンを探してみるがいい。アメリカじゅう、五万マイル旅しても、美味いパン一切れにも出会わないことだって大いにありうる。アメリカ人は美味いパンに興味がない。無気力で死にかけてるっていうのに、中味のないパンを、味のないパンを、ビタミンのないパンを、命のないパンを食べている。なぜか？　生命の核そのものが汚れてしまっているからだ。美味いパンがどんなものか、奴らにわかっていたら、あんな見事な機械を——あいつらが全時間、全エネルギー、全愛情を注ぐあんな機械を——持ってはいないだろう。一組の入れ歯の方が、一斤の美味いパンよりアメリカ人にはずっと大切なのだ。つながりはこういうことだ——ろくでもないパン、悪い歯、消化不良、便秘、口臭、性的欠乏、病気、事故、手術、義足、眼鏡、禿げ、腎臓・膀胱障害、神経症、精神病、分裂病、戦争、飢餓。

パンの貧しさは生命の貧しさそのままだというわけだが、もちろんこれはアメリカに対してフェアではない。少なくとも現代についていうなら、もしアメリカにこうした状況が広がっているとすれば、程度の差こそあれ、それは世界中のいわゆる先進国に——それこそフランスにも——広がっていると考えるべきだろう。したがって、今日ミラーのこうした文章は、文字どおりのアメリカ批判というより、象徴的な現代文明批判として普遍的な意味を持つと言ってよい。

が、どうもそういうふうにミラーを祭り上げるのは、チャチな右翼のホメ殺しみたいで気が引ける。この文章にしても、まずは、「ろくでもないパン、悪い歯……」からはじまって「……戦争、飢餓」に終わる「つながり」の過剰な威勢よさに笑ってしまうこと、罵倒のなかにも幸福な男の高笑いの余韻を聞き取ること、個人的にはそれがミラーを読む上での「正しい」反応だという気がする。

＊

ミラーによるアメリカのパン罵倒が個々の現実においてどれくらい正しいかはともかく(反論はいくらでもあるにちがいない)、まあ一般論としてはたしかに、アメリカのパンが——とりわけ、ミラーが口をきわめてののしる、セロファンで包装された食パンが——特に美味いと思う人はそう多くあるまい。現代作家スチュアート・ダイベックの小品「ファーウェル」（『シカゴ育ち』［一九九〇］所収）でも、老ロシア人教師がシカゴのアパートの壁に貼っている戦前のオデッサの地図には、「おいしいパン屋」を印した丸印がいくつかついていた。それらのパン屋こそ、老教師がアメリカに来て失ったものの象徴なのだ（むろん、大戦によって破壊された戦後のオデッサに帰ったところで、おいしいパンも、おいしいパンによって象徴されていたものも、もはや残っていないにちがいないのだが）。

とはいえ、アメリカにだっておいしいパンの話がないわけではない。たとえば、レイモンド・カーヴァーの短篇「ささやかだけれど、役にたつこと」（『大聖堂』［一九八三］所収）。

若い母親が、息子のためのバースデイ・ケーキをパン屋に注文しにいく。この次の月曜日で六歳になるんですよ、と母親が言っても、年輩のパン屋は何の反応も示さない。母親はそれを不思議に思う。

> 人間誰だって、特にこの人みたいに、私の父親といってもおかしくない歳の人だったら、きっと昔は子供がいて、ケーキだのバースデイ・パーティだのといった特別な時間を経験してきただろうに。そう彼女には思えた。

誕生日の当日、子供は登校途中に自動車にはねられ、家まで歩いて帰ってきたものの、じきに意識を失い、病院に運ばれる。なあに、じきに目をさましますよ、と医師は請けあうが、子供はなかなか意識を取り戻さない。

両親は病室で子供を見守りつづけるが、少しは休まねば、と交代で家に帰ることにする。もちろんケーキどころではない。ところが、夫か妻の一方が家に帰るたびに、「スコッティーのこと、忘れたのかい?」と、悪意のこもった電話がかかってくる。結局子供は目をさまさず、そのまま死んでしまう。夫婦が家に帰ってくると、またも電話がかかってくる。「スコッティーだよ」と電話の声は言う。「スコッティーのこと、忘れたのかい?」

やがて母親が、そうだ、あのパン屋だと思い立ち、夫婦は真夜中に店へ出かけていく。緊迫した時間がしばらくつづいたあと、事情を知ったパン屋は二人に謝罪し、彼らにパンを勧め、自分の身の上を語り出す。

「お二人とも、何か食べた方がいい」とパン屋は言った。「私の焼きたてのロールパンを召し上がっていただけませんかね。食べて、先へ進んでいかなくちゃ。食べるってのはこういうときには、ささやかだけど、いいことですよ」と彼は言った。

オーブンから出したての、アイシングがまだ固まっていない温かいシナモン・ロールを彼は二人に差し出した。そしてテーブルの上にバターと、バターを塗るナイフを置いた。それからパン屋は、二人と一緒にテーブルに座った。彼は待った。二人がそれぞれ皿からロールパンを手にとり、食べはじめるまで待った。「何か食べるのはいいことです」と彼は二人を見ながら言った。「まだまだあります。どんどん食べてください。好きなだけお食べなさい。ロールパンならここにはいくらでもあるんです」

二人はロールパンを食べ、コーヒーを飲んだ。アンは急に空腹を感じ、ロールパンは温かくて甘かった。彼女はロールパンを三つ食べてパン屋を喜ばせた。それからパン屋は話し出した。二人はじっくり聞いた。疲れていて、苦しみに包まれていたけれども、二人ともパン屋の話を聞いた。うなずく二人を聞き手に、パン屋は孤独について語り、中年になって訪れた疑念と、限界の感覚とを語った。長年ずっと子供がいないということがどういうものなのかを、パン屋は語った。来る日も来る日も、オーブンを一杯にしては、また空にする。それがはてしなくくり返されるのだ。いままで携わってきたパーティフード、かずかずのお祝い。指の関節まで埋まりそうなアイシング。ケーキに突き刺した小さなウェディング・カップル。何百、いや、いまではもう何千だ。誕生日。あの蠟燭《ろうそく》が全部ともっているところ、想像してみてくださいよ。

私はなくてはならん商売をやってるんです。私はパン屋なんです。花屋じゃなくてよかった。人に食べ物を与える方がいいですよね。この方が絶対、花よりいい匂いです。

「こいつの匂いを嗅いでごらんなさい」とパン屋は、黒っぽい食パンを割りながら言った。「重たいパンですが、味はいいですよ」。二人は匂いを嗅いでみて、それからパン屋に言われるまま味見してみた。糖蜜と、荒挽きの穀物の味がした。二人は彼の話に耳を傾けた。二人はできるだけたくさん食べた。黒っぽいパンを飲み込んだ。蛍光灯が並ぶ下、店のなかは昼間のように明るかった。彼らは早朝まで話しつづけた。窓に高い、薄い色の光が射し、二人は帰ろうとも思わなかった。

花よりパン、というのは花屋さんに対して政治的に正しくない気はするがそれは措《お》くとして、こうやってパンを媒介にして夫婦とパン屋が和解し、ある種の癒しのようなものがもたらされる。むろん、いくらパンを食べたところで子供は戻ってこないし、「帰ろうとも思わな」い二人もいずれは帰って厳しい現実に直面しなければならない。が、パン屋がいわば司祭のような役割を務めて、二人の苦しみがつかのま軽減されていることは確かだ。そして、自分の身の上を話すことによって、パン屋自身もおそらく癒されている。

それにまた、冒頭の部分と較べて、アンは確実に変わっている。ケーキを注文する立場から、パンを受け入れる立場になっていることがその変化を象徴している。「人間誰だって（……）きっと昔は子供がいて、ケーキだのバースデイ・パーティだのといった特別な時間を経験してきただろうに」と思いこんでいた彼女も、誰もがそのような幸運に恵まれるとは限らないことをいまや実感として知っている。もちろん、それを知るために、自分の子供を失うという大きな代償を彼女は払わねばならなかった。結局のところ、その代償があまりに大きいことが、温かいパンを通して人が救われるという、設定自体はきわめて通俗的なこの作品に説得力を与えている。

*

ハーマン・メルヴィルの『白鯨』（一八五一）におけるチャウダー礼賛（十五章）、トルーマン・カポーティ「クリスマスの思い出」（『ティファニーで朝食を』［一九五八］所収）でのクリスマス・ケーキ作りなど、アメリカ文学で食べることや食べ物が忘れがたく描かれた作品はほかにも思い浮かぶ。だが、もし、食べるということともっともつながりの深い作家を挙げるとするなら、それはエドガー・アラン・ポーではないだろうか――ただし、食べることに徹底して無関係でありつづけた作家として。

ポーの作品には、何かを食べる場面がほとんど出てこない。酒を飲むという記述はしばしば見られるが、もちろんそれは栄養獲得のためではなく、自堕落な内なる悪魔に屈していくだけのことである。ポーが詳しく描写した食事といえば、患者たちが精神病院を乗っ取って医者になりすます「タール博士とフェザー教授の療法」（一八四五）における、「猫風兎」等々の奇怪な料理がずらりと並べられた狂気の晩餐会くらいなものではないだろうか。

　食卓は壮観であった。皿が所狭しと並べられ、御馳走が山と積まれている。その量たるや、およそ野蛮というほかなかった。これだけあれば、かの巨人アナキム族を満腹させるに十分であろう。生涯これまで、かくも贅を尽くし、豪奢を極めた食卓を目にするのは、私もはじめてであった。しかしながら、その並べ方は、お世辞にも趣味がいいとは言い難い。穏やかな光に目が慣れているものだから、夥《おびただ》しい数の蠟燭の放つぎらぎらとすさまじい輝きは、私には何とも不快というほかなかった。（……）

「よろしかったら、わが友よ」と今度はムッシュー・マイヤールが私に話しかけた。「よろしかったら、この仔牛の聖メヌウール風をぜひ一口お召し上がりなされ。実に美味ですぞ」

　その瞬間、三人のがっしりしたウェイターが、とてつもなく大きな皿を無事テーブルに置きおおせた。皿というか、巨大な円盤というか、その上に載っているのは、かの「恐るべき　お

ぞましき　巨大なる　眼のなき化け物」〔『イーリアス』に出てくる一つ目巨人の形容。原文ラテン語〕かと思えた。

　これもむしろ、原則を補強するたぐいの例外と言ってよいだろう。

　そして、考えてみれば、ポーの小説には性交もほとんど出てこない。ヘンリー・ミラーとは何たる違い！　要するに、ポーにあっては、種が生命を維持するための行為というのがいっさい出てこないのだ。ポーの世界において、人はただ、個体として死へ向かっていくしかない。だが——だがしかし、ポーの場合、双子の妹が棺を破り納骨堂の鉄壁を破って兄のもとに戻ってくる「アッシャー家の崩壊」（一八三九）、死んだ先妻が二番目の妻に乗りうつってよみがえる「リジイア」（一八三八）等の例を挙げるまでもなく、死体がほとんどつねに生き返ることによって、生と死の帳尻が何となく合っているように思えるのである。

幽霊の正体

女は立ち上がったが、それは私が入ってきた音を聞いたからとは思われず、無頓着、無関心から成る、言いようのない大きな憂鬱がそこにはあった。こうして、私から十フィートあまりのところに、わが堕ちたる前任者が立っていた。——ヘンリー・ジェームズ「ねじの回転」

俗に「幽霊の正体見たり　枯れ尾花」というが、アメリカ文学の場合「幽霊の正体見たり　自分自身」が一般的法則ではなかろうか。そういう言い方が乱暴すぎるなら、アメリカ文学に出てくる幽霊や悪魔はしばしばそれを見る人の分身である、と言ってもいい。

トルーマン・カポーティの「ミリアム」（一九四五）で謹厳な一人暮らしの老婦人のもとに現われる妖しい奔放な少女ミリアムは、どうやら老婦人の堅物ぶりの裏に押し込められた破壊的衝動の体現らしい（二人のファーストネームが同じであることは、そのもっともわかりやすい合図である）。シャーロット・パーキンズ・ギルマンの「黄色い壁紙」（一八九二）で醜い壁紙の格子模様から這い出てくる奇怪な女は、医師である夫に安静療法を強制された妻の囚人状況をグロテスクに戯画化した姿に思える。

あるいはまた、ポーの「赤死病の仮面」（一八四二）では、外で赤死病の猛威が荒れ狂うのをよそに城にこもって歓楽に明け暮れる人々のなかに、全身血まみれの、疫病の権化のような、仮面をかぶった闖入者が現われる。城主プロスペロは刀をふりかざして闖入者を追うが、相手がふり向き両者が向かいあったとたん、プロスペロはあっと叫び声を上げて絶命する。取り巻き連中が勇気を奮い起こして闖入者をひっ捕えると、血に染まった衣裳のなかはもぬけの殻。プロスペロが何を見たのか、ポーは何も書いていないが、ロジャー・コーマンの映画版（一九六四）では、闖入者の仮面が外れ、そこにプロスペロ自身のにっと笑った顔が現われる。これはひとつの有効な解釈だろう。死を排除し、閉じた生の空間を作り出したつもりが、閉じた内部にも死はひそんでいた――ほかならぬ自己自身のなかに、というわけだ。

要するに「ミリアム」では、老女の秘密の部分が他人の姿をして出てくる。「黄色い壁紙」では妻の現状を誇張し増幅した存在が出てくる。「赤死病の仮面」では、人々がもっとも恐れているものが仮面の闖入者として現われる。いずれの場合も、幽霊や悪魔は客体として自分の外にあるのではない。かりにそれが全面的に自分の欲望や恐怖の産物ではないとしても、自分もその生成に加担していることは間違いない。

もちろんこれは、還元すればそうなるという話で、作品自体が文字どおりこうした意味づけをあからさまに提示しているわけではない。そのなかで、「幽霊の正体見たり自分自身」系のもうひとつの物語、ヘンリー・ジェームズの「愛しい街角」（一九〇八）で特徴的なのは、幽霊が現われる前から、その正体を作品が——というより登場人物が——はっきり規定していることだ。

スペンサー・ブライドンは若いころ渡英し、三十三年ぶりにニューヨークに里帰りしている初老の紳士。久しぶりのアメリカはどうです、と人からくり返し訊かれるが、現在のアメリカは彼を少しも魅了しない。彼にとって唯一の関心事は、もし自分がアメリカにとどまっていたらどういう人間になっていたか？である。英国に渡ったことを後悔しているわけではない。あくまで、自分が生きたかもしれないもうひとつの生、という可能性の問題に惹かれるのだ。

ブライドンはニューヨークに不動産を二件持っている。ひとつは高層アパートを建築中の、今後彼に高収入をもたらすであろう、「現在」と結びついた場。そしてもうひとつが、タイトルにもある「愛しい街角」であり、ここには彼が生まれ育った屋敷が昔と変わらぬ姿で残っている。そこは過去と親密に結びついた、外とは違った時間が流れている空間である。そして、どうやらこの屋敷に、もしブライドンがアメリカにとどまっていたらそうなったであろう、もう一人の彼がいるらしいのだ。

ニューヨークで唯一話の通じる友アリス・スタヴァートンを聞き手に、この〈もう一人の自分〉についてブライドンは語るが、彼とてその姿をわが目で見たわけではない。夜中に屋敷に出かけていくと、それがいることを感じるのだ。そこにいるものが、もしこの国にとどまっていたらそうなっていたであろう自分だと感じるのである。何もない、がらんとした屋敷のなかをブライドンはさまよい、研ぎ澄まされた神経で幽霊の存在を探り、嗅ぐ。むしろその五感の異様な鋭さによって、そしてまた「とどまっていたら?」と強迫観念のように考えつづけることによって、幽霊がじわじわ作り出されていくように思える。

ステッキの鉄製の先端が、玄関広間の床に敷いた古い大理石に触れる瞬間の効果を彼は決して逃さなかった(床は大きな黒と白の四角から成り、それが幼かった自分の賛嘆の的だったことを彼は覚えていたし、これのおかげで早くから品位というものの感覚を身につけられたのだということがいまの彼にはわかった)。その効果とは、どこか遠くに吊した鐘のような、こもった、反響する響きであった。鐘はどこに吊してあるのか?——家の奥深くで、過去の奥深くで、もし彼が善かれ悪しかれ捨ててしまわなかったなら花開いていたであろう神秘なもうひとつの世界の奥深くで。こうした印象に応えて、彼はいつも同じことをした。ステッキを片隅に音もなく置き、この場が何か大きなガラスのボウルであるかのような感触をあらためて味わうのだ。この上なく貴重な凹型のクリスタルガラスの縁に、湿った指を一本滑らせると、ぶーんと繊細なうなりが生じる。その凹型のクリスタルが、いわばこの神秘なもうひとつの世界の入れ物であり、その縁からのぼる、言いようもなく微細なさざめきは、昔の、挫折させられ断念されたすべての可能性の立てるため息であり、張りつめた彼の耳にやっと聞き取れる程度のかすかな哀れなるむせび泣きであった。したがって、彼がこうして黙ってその場に立って訴えることで為したのは、それら断念させられた可能性たちを目ざめさせ、それらがまだ享受できる限りでの、幽霊のごとき生を生きさせることにほかならなかった。それらは内気であった。ほとんど度し難いほど内気であった。だが邪悪ではない。少なくとも、これまで感じたところではそうではなかった——だがやがてそれらは、彼がそれらに何とかして取らせたいと願っていた姿を取るに至ったのである。つま先立ちで、イブニングシューズの先端で部屋から部屋、階から階へと歩きまわるなかで、彼は時おりその姿をみずから見たように思うのだった。

その場にひそむ、かつて断念されたさまざまな可能性は、彼が「黙ってその場に立って訴える」ことによってはじめて息を吹き返すのであり、最終的にそれらが収斂《しゅうれん》するところの「姿」(the Form)も、もともと「彼がそれらに何とかして取らせたいと願っていた姿」にほかならない。幽霊はそこにいるのではない。ブライドンの意識によって、そしてブライドンと語り手が共犯してくり出すさまざまな比喩（そのややこしさに、漱石はジェームズを「此人ノ文ハ分ルコトヲワカリニクキ言語デカクノヲ目的ニスルナリ」と評した）が現実を浸食することによって、まさに生み出されるのである。

やがてブライドンは、自分が幽霊を恐れているどころか、幽霊こそ自分を恐れているのだと確信するに至る。幽霊が怖がるのも無理はない。起きたかもしれぬことを知ろうとする彼の烈しい意志に浸されることによって、屋敷は徐々に、三十三年前に彼がイギリスに渡らずアメリカにとどまったもうひとつの宇宙と化していくのであって、そこでは彼の方こそ闖入者であり、恐怖の源なのだ。「いつの世でも、幽霊を恐れた人はあまたいた。だが、これまでいったい誰が、主客を転倒させ、自分こそが幽霊側の世界において測り知れぬ恐怖の種となったりしただろう?」。こうして、演じられつつある幽霊物語の特異さも十分自覚されつつ、さらにさまざまな比喩が重ねられ、ブライドンも読者もだいぶ疲労がたまった夜明け近くに（この疲労は幽霊と出会うにふさわしい精神状態になるために不可欠）、ついに幽霊は現われる。

ほのかに灰色に光るその広い周縁部で、中央の曖昧《あいまい》さが減じていくのを彼は見た。そしてそれが、いままで何日も、おのれの烈しい好奇心が焦がれていたまさにその姿を取りつつあることを彼は感じた。それは薄暗く佇《たたず》み、ぼんやりと浮かぶ何かであり誰かだった。驚嘆を誘うひとつの人的存在だった。

（……）彼はただ呆然と、もうひとつの苦悩に包まれたもう一人の自分を見るばかりだった。功成り名遂げ、成功を享受した勝者の人生を体現すべくそこに立っていながら、相手がその勝者たる顔をまともに見せられずにいる証しを、ただ呆然と見るばかりだった。堂々たる、顔を覆ったその手、たくましい、完全に広げられた手こそ、何よりの証拠ではないか？　この上なくぴんと、意図も歴然と広げられたその両手によって、ひとつの突出した事実があるにもかかわらず――すなわち、事故で吹き飛ばされたかのように片手の指二本が失われ、根株だけが残っているという事実にもかかわらず――顔は首尾よく守られ、救われていた。

拝金主義の横行する十九世紀後半のアメリカでおそらく成功者となったであろう、

ヨーロッパ的洗練とは無縁の男。指が二本なくなっているのは南北戦争に参加したからだろう（yakuzaとかかわるには時代が古すぎる）。おのれのがさつさを恥じて顔を覆う男を、ブライドンは「これは私ではない」と拒絶する。さんざん苦労して呼び出した分身がこんな安っぽい奴だったとは！「むき出しにされたその正体は、彼のものであるにはあまりにおぞましかった。ぎらぎらした彼のまなざしは、冗談じゃない、と烈しい思いを語っていた。この顔、こんな顔がスペンサー・ブライドンの顔だと？」

怪談で幽霊登場の場面ともなれば、一番怖い、クライマックスの瞬間というのが常だが、この幽霊の登場はほとんど喜劇的である。

まず、これほどブライドンの精緻な五感とレトリックを総動員して呼び出した幽霊であるにもかかわらず——要するにほとんど彼が作った幽霊であるにもかかわらず——それはおよそ彼の意に沿わぬ姿をしていて、彼をひどく幻滅させる。これはかなり滑稽である。

しかし同時に、彼が現在の野卑で下品なニューヨークに感じている嫌悪感を思えば、このような分身が出てくることはまったく当然とも言える。そればかりか、この幽霊の姿、考えてみれば少しも意外でも理不尽でもなく、まさに彼がアメリカにとどまっていたらいかにもそうなっていたにちがいないと思える、誰でも思い描きそうな姿なのだ。大山鳴動して、月並な幽霊一匹。先に、幽霊が現われる前からその正体を登場人物がはっきり規定しているのがこの作品の特徴だと書いたが、いざ幽霊の正体を見てみれば、まさに登場人物本人を愕然とさせるほど、限りなく字義どおりの形でその規定が具現しているわけだ。これも滑稽である。

そして、そうした喜劇的なクライマックスにふさわしく、物語は結局、いまのあなたも幽霊の方もひっくるめて好きよ、と言ってくれる聡明で心優しいアリス・スタヴァートンをブライドンが抱擁し、幽霊話がラブストーリーに変身することで終わる。めでたしめでたし。

*

「愛しい街角」が結婚の可能性を匂わせて終わるのに対し、同じくヘンリー・ジェームズのさらに有名な幽霊話「ねじの回転」(一八九八)は、結婚の可能性がまず断ち切られることからはじまる。

田舎に住む幼い兄妹の家庭教師の職に応募した二十歳の貧しい娘が、ロンドンに住む兄妹の伯父と面談して、相手に淡い恋心を抱く。要するに『ジェーン・エア』の世界である。

面接を受けにハーリー・ストリートの家に行ってみると、彼女にはそれが広大な堂々たるお屋敷と見え、雇用主となるやもしれぬその紳士は、人生の盛りを生きる独身者であった。ハンプシャーの牧師館から出てきたばかりの、不安に胸を震わせた娘の前には――夢か古い小説ならともかく――およそ現われたことのないような人物であった。（……）男前で奔放で愛想良く、気取らず陽気で親切だった。

ではこの娘も、『ジェーン・エア』同様、紆余曲折を経た末に雇用主とめでたく結婚するのか？　ノー。まず第一に、雇用主は彼女に、子供たちについてどんな問題が生じても絶対私に相談するな、全部自分で解決せよ、ときつく言い渡す。第二に、この「ねじの回転」のメイン・ストーリーは家庭教師本人が後日書いた文書という設定になっているが、この文書の持ち主によれば「彼女はその男と二度しか会わなかった」。にもかかわらず、彼女が男に対して抱いた恋心が、その後の展開すべてに大きく作用することになるのである。

ブライドンがニューヨークの屋敷で出会った幽霊は〈もう一人の私〉だったが、「ねじの回転」で女家庭教師が就任した田舎の屋敷で出会うのは、かつて彼女の雇用主の従者だった男の幽霊と、彼女の前任者だった女家庭教師の幽霊である。ともに一年前に死んだ二人は、どうやら恋仲だったらしく、その死も醜聞に染まった陰鬱《いんうつ》なものだったことを主人公は聞かされる。

やはり舞台がイギリスとなると、「幽霊の正体見たり　自分自身」というわけにもいかないか、というとこれがそうも言い切れない。まず、従者ピーター・クィントの幽霊を主人公がはじめて見るのは、彼女が庭を散歩しながら、私の仕事ぶりをご主人さまに見ていただけたらなあ、と夢想している最中である。もしそうなったら「素敵《チャーミング》な物語みたいに素敵《チャーミング》だわ」という彼女のロマンチックな空想をあざ笑うかのように、憧れの人の従者の幽霊が現われるのだ。しかも、聞けばこの男、かつて主人の服を盗んで着たり、主人が一足先にロンドンへ帰ったときにはこの屋敷で主人然とふるまったりしていたという。まさに主人の醜悪なパロディである。

クィントが主人のパロディだとすれば、クィントと恋仲になり名誉を失って死んでいったジェスル嬢が主人公本人のパロディであることは、容易に想像がつくだろう。この作品でどうやら唯一信頼できる情報源らしい、家政婦のグロース夫人も、この前任者について「ほとんどあなたさまくらい若くて、ほとんどあなたさまくらい綺麗でしたよ」と言う。主人公が自室でジェスル嬢の幽霊を見るシーンなども、分身物語の見事なお手本である。

澄んだ真昼の光のなか、私の机に誰かが座っているのが見えた。これまでの経過がなかったら、とっさに私は思っただろう――これはきっと、留守番役で屋敷にとどまった女中が、誰にも見られずに済む願ってもない好機とばかり、勉強部屋の机と私のペン、インク、紙を借用して、懸命に恋人への手紙をしたためているのだ、と。両腕は机に載っているものの、見るからに疲れたように両手で頭を支えた様子には、いかにも懸命さが感じられる。ところが、そうしたことを見てとった瞬間、私はすでに、私が入ってきたにもかかわらず女の姿勢が不思議と変わっていないことに気づいていた。やがて――自分から名乗りを上げるしぐさとともに――女の姿勢が変わり、その正体が一気に明らかになった。女は立ち上がったが、それは私が入ってきた音を聞いたからとは思われず、無頓着、無関心から成る、言いようのない大きな憂鬱《ゆううつ》がそこにはあった。こうして、私から十フィートあまりのところに、わが堕ちたる前任者が立っていた。面目を失った、痛ましい姿が、目の前に立ちはだかっている。が、私がそれをしかと見据え、記憶にとどめるのと同時に、忌まわしい像は消えていった。黒いドレス、やつれた美しさ、そして言葉にならぬ悲しみに包まれた真夜中のように暗い姿が、消える前にしばし私を見つめていた――私があなたの机に座る権利だってあなたが私の机に座る権利と等しくあるのだ、と言っているように思えるくらい長く。そうした時間が経過しているあいだ、私はまさに、自分こそ闖入者ではないかという思いに、ぞっと寒気を覚えたのだった。

ここまで見れば、クィントとジェスル嬢との醜聞も、主人公が自分と主人とのあいだに夢想する恋愛のパロディと捉えうることは明白だろう。「レディ」であるジェスル嬢と、下男たるクィントとの身分違いの関係をグロース夫人から聞かされて主人公は嫌悪を覚えるが、むろんその身分違いとは、彼女自身が主人に対して抱く恋心に存する身分違いをひっくり返したものにほかならない。彼女にも主人にも名前が与えられていないのに対し、クィント／ジェスル嬢には名が与えられているのは、淡い夢想と醜い現実との対比と見てよいだろう。スペンサー・ブライドンが自分の意にそぐわない、しかし彼のアメリカ観を的確に反映した幽霊を呼び出してしまったのと同じように、「ねじの回転」の主人公も、彼女の思い描く甘い物語を、幽霊たちにしっかり文芸批評されてしまうのだ。

うぶな夢想が招いた災難、と女家庭教師を笑うのはたやすい。が、この物語の舞台に設定されている一八四〇年代、イギリスの精神病院患者の職業としてもっとも多かったのは家庭教師だったという。貧しい雇われの身であり、一面では召使い同然でありながら、「先生」としての体面も保たねばならない。階級間のはざまに立たされたそのプレッシャーのすさまじさは同情に値する。特にこの物語の場合、主人は一貫して不在であり、彼女はひたすら権力の影におびえつづけねばならないのだ（しかもその影は恋慕の対象でもある！）。

それにまた、物語レベルでも、クィント＋ジェスル嬢ペアを、主人公の妄想の産物として片付けてしまうわけにも行かないのが、この「ねじの回転」という作品の厚みである。たしかにこの二幽霊、主人公には見えてもグロース夫人や子供たちには（おそらく）見えないのだが、何せ相手は幽霊だから、特定の人物にしか見えないからといって「単なる個人的妄想」とは決められない。グロース夫人の証言を信用するなら、クィントとジェスル嬢が醜聞を起こして謎の死を遂げたこと自体は事実と考えられる（もしこれを信用しないとすれば、「あるところにおじいさんとおばあさんがいました」と語り手に言われて「本当におじいさんとおばあさんがいたんだろうか？」と疑うのと同じことである）。彼ら二人がこの屋敷の道徳的空気を汚染し、その汚染がいまも漂っていることは、ほとんど「客観的」な事実なのだ。このあたり、幽霊が主観的妄想であるような客観的事実であるような、どっちつかずさを生み出すジェームズの匙加減は本当に絶妙である。

では、幽霊たちは何をしに来たのか？　その目的は？　主人公はそれを、幼い兄妹の魂を奪いにきたのだと考える――クィントは兄マイルズの魂を、ジェスル嬢は妹フローラの魂を奪いに。たしかにクィントは、生きていたころある時期、四六時中マイルズと一緒にいて、何らかの悪影響を及ぼした（おそらくは同性愛的な言葉――や行為？――を教えた）という事実があるらしい。が、だからといって、二人が子供たちの魂を奪いにきたのだとまで決める根拠にはならない。そう決める根拠はあくまで、幽霊がただ一人見えている主人公の直感でしかない。その直感を我々読者は、世界を善悪二色できれいに染め分けたがる主人公の意志が捏造した物語にすぎないかもしれない、と思いもするが（たとえば先の引用での女の悲しげな姿は、そうした邪悪さよりもはるかに哀れさを感じさせる）、またある面、その直感に納得させられもする。このあたりの匙加減もまた絶妙なのである。

　だが、幽霊たちの実体は結局のところ問題ではない。幽霊を恐れ、子供たちを護ろうとするあまり、主人公の目には、天使のように見えていた兄妹も幽霊たちとぐるになっているように見えてくる。そして彼女は、幽霊に敢然と立ち向かおうとするあまり、次第に自分も幽霊のごとき恐ろしい存在と化していき、妹を死ぬほど脅えさせ、兄を文字どおり恐怖のあまり死なせてしまう。結末は――

「いまさらあの男が何なの、私の坊や——これからずっと、あんな男が何なの？　あなたは私のものよ」私は獣めがけて飛び出した。「あいつはあなたを永久に失った！」。それから、自分のなしとげたことを見せつけようと、私はマイルズに「あそこ、あそこに！」と言った。

だがマイルズはすでにさっとうしろを向き、目を見開いて、ふたたび睨《にら》みつけていたが、彼が見たのは静かな昼間ばかりであった。私がかくも誇らしく思った喪失の打撃を受けて、彼はまるで深淵に投げ落とされた生き物のような叫びを上げた。私が彼を取り戻したその抱擁は、さながら落下する彼をつかまえたかのようであった。私は彼をつかまえた、そう、彼を抱きかかえた——どれほどの情熱をこめてかは容易に想像されよう。が、しばし時が経って、自分が何を抱きかかえているのかを私は感じはじめた。静かな昼間のなか、私たちは二人きりだった。彼の小さな心臓は、悪霊を追い払われ、すでに止まっていた。

「怪物と戦う者は、自分も怪物とならないよう用心するがよい」とニーチェは書いた（『善悪の彼岸』）。自分がもっとも恐れているものを、もっとも恐れるがゆえに、みずからその恐れているものの同類になってしまう悲劇。しかもすべてのはじまりは、おそらく、身分違いの淡い恋心だった。

「ねじの回転」は怖い話である。が、とても痛い話でもあるのだ。

破滅

なぜなら、途方もない窮地に至った者の魂は、溺れかけている人間のようなものだからだ。危険のただなかにあることは自分でもよく承知している。危険の原因もよく承知している。にもかかわらず、海は海であり、溺れかけている人間は溺れるのだ。——ハーマン・メルヴィル『ピエール』

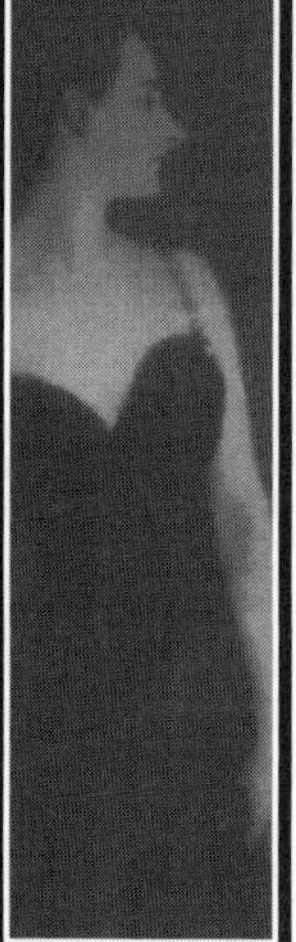

アメリカ文学で「破滅」が描かれるとき特徴的なのは、それがしばしば「アメリカの夢の裏切り」という色合いを帯びることだろう。

西洋の古典悲劇のように人がヒュブリス（神々に対する不遜）を抱いたがゆえに破滅するのではなく、あるいは『ロミオとジュリエット』のようにしきたりと個人の欲求とが衝突したがゆえに破滅するのでもなく、アメリカでは誰でも富と成功を手にするチャンスがあるという理念を信じたがゆえに、人が破滅に追いやられる物語。アメリカ的な富と成功の、もっとも早くかつもっとも明快な模範ベンジャミン・フランクリンの『フランクリン自伝』(一八一八)を読めばわかるように、一人の勝者の成功は、無数の敗者の累々たる死体の山の上に築かれる。誰でも成功できるということは、誰でも破滅できるということとほぼ同義だ。シェークスピアのマクベスは、バーナムの森が動き出すまではお前は決して滅びず、女が生んだものにお前を倒す力はない、と魔女たちに言われてその気になって野心をふくらませ、破滅する(魔女たちは嘘をついたわけではない——敵軍がカムフラージュのためにバーナムの森の枝を頭上にかざして進み、敵の大将マクダフが「月足らずのまま母の腹を裂いて出てきた」ことが判明するのだ)。「アメリカの夢」の下では、誰もが魔女に富と成功をめぐる不実な約束を与えられたマクベスだと言ってもよいかもしれない。

たとえば、シオドア・ドライサーの『アメリカの悲劇』(一九二五)。主人公の青年クライド・グリフィスは、貧しい生まれながら持ち前のルックスや運に助けられて、金持ちの親戚が経営する工場で次第に出世していく。そのなかで貧しい女工ロバータと恋仲になり、彼女を妊娠させてしまうが、やがて上流階級の娘ソンドラとも相思相愛の仲に陥って、ロバータが邪魔になってくる。思いあまったクライドは、ロバータを湖に連れ出して殺そうとするが……結局彼は、文字どおりの殺人を犯しはしないものの、偶然に導かれていわば「殺意なき殺人」を犯してしまい、殺人犯として死刑の宣告を受ける。

クライドは神々に不遜をはたらく古典的悲劇の主人公とは程遠い。むしろ、成功の夢に乗せられ流された無力な犠牲者として描かれている。死刑執行を前に母親と面会する彼は、牧師の教育が功を奏したか、一応の諦念に達したように見える。が——

「ママ、信じてよ、僕は納得して、安んじて死んでいくんだ。つらくはないはずさ。神さまは僕の祈りを聞いてくださったんだ。僕に力と安らぎを与えてくださったんだ」。だが自分自身にはこう付け足した——「本当にそうかな?」

要するにクライドは、死を前にしても何ら新たな認識に達していない。バーナムの森が動いたと告げられ、マクダフが「女が生んだもの」ではないと聞かされたマクベスは、いまや魔女の不実な約束から解放され、世界に対し全面的に開き直って(と言うか、まあ、要するに破れかぶれになって)、真の悲劇的英雄の壮大さをつかのま獲得するが、クライドはそうした英雄性とはおよそ無縁である。もちろん、死ぬ間際に叡智に達したところでナンボのものか、という考え方もあるだろうし、個人的には僕もそう思う。が、物語としては、最後に叡智が獲得されるかされないかで話は大きく違う。主人公が何も学ばず犬死にしていくということは、同じように無為な死を遂げる者たちが今後も現われつづけることを示唆するからだ。

たしかに、ありそうな話である。出世のため、新しい金持ち娘との恋のために貧しい恋人が邪魔になり、そこで……。事実ドライサーはこの小説を、一九〇六年に起きた現実の殺人事件に基づいて書いたのだし、この小説に *An American Tragedy* という題名をつけてもいる。「アメリカの夢」が人々を惑わせる限り、第二、第三のクライド・グリフィスはこの先いくらでも出てくるだろうというわけである（そもそもこのクライドが第一のクライドでさえないのだ）。

＊

さっき「アメリカの夢」を「誰でも富と成功を手にするチャンスがあるという理念」と規定したが、むろんこの言い方では不十分である。「すべての人間は平等に作られる」と独立宣言に言明されていても、歴史的にその「すべての人間」の内実は「すべての白人男性」でしかなかった、とよく言われるのと同様、アメリカ的成功の夢にしても、少数民族の大半には事実上閉ざされてきたわけだし、女性に対してもほとんどの場合、「内助の功」といった代理的な形でしか機会は与えられてこなかったことも確認しておく必要がある。

差別され、成功の夢から疎外されているなら、その夢ゆえの破滅からは自由だろう。が、それらの人々には別の形の破滅が待っている。『アメリカの悲劇』の貧しい白人の若者を貧しい黒人の若者に置き換え、悲劇の源たる階級間の隔たりを人種間の恐怖感と差別意識に置き換えて、「殺意なき殺人」をめぐるもうひとつの物語を書けば、一九四〇―五〇年代の黒人文学隆盛の流れを始動させた、リチャード・ライト『アメリカの息子』（一九四〇）が出来上がる。

もちろん、差別や疎外は、経済的貧困というわかりやすい形で生じるとは限らない。ケイト・ショパンの『目覚め』（一八九九）の主人公エドナは、勤勉な夫によってまさに何不自由ない暮らしを保証され、夫の貴重な所有物としてそれなりの愛情を注がれている二十代末の女性である。子供の世話は乳母がやってくれるし、料理や洗濯ももちろん召使いがやってくれる。

とはいえ、そこには代償がある。彼女はよき母性的女性であることを期待されている。召使いたちを管理し、バリバリの実業家の妻として世間に対し見栄えよい体面を保つことも要求されている。そのような役割になじめる人にとって、それは豊かな暮らしを享受するためのささやかな代価でしかないだろう。むしろ悦びですらあるかもしれない。だが問題は、女性はみなそうした役割が好きなはずだと誰もが決めていることであり、そうした役割以外の選択肢がほとんど何もないことだ。エドナは夫に格別親愛の情を感じていないし、子供たちには夫に対してよりはよほど愛情を寄せているもののその関心も断続的でしかなく、取り立ててよき母‐妻でありたい気持ちはない。世間体などに至っては、やがてまったくどうでもいいと思うようになる。要するに彼女は、自分自身でありたいのだ。

だが、具体的にはどうやって？　作品中で示される、エドナが自分自身であるための経路は、ひとつは芸術であり（彼女には絵画の才がある）、もうひとつは恋愛である（相思相愛の若い崇拝者ロベールがいる）。

何と陳腐で当たり前の選択肢か、と笑うのはたやすい。が、どうもエドナは、どうやったら自分自身になれるのか、自分がいったい何を求めているのか、自分でもよくわかっていないように思える。ある時点で、彼女は夫と次のような会話を交わす。

「世帯を取り仕切る、子供たちの母親でもある女性が、家族の安寧のために使われるべき時間をアトリエで過ごすなんて、私には愚の骨頂に思えるね」

「私は絵が描きたいのよ」とエドナは答えた。「いずれは描きたくなくなるかもしれないけど」

「じゃあ好きなだけ描くがいい！　だが家族まで巻き添えにしないでもらいたいね。マダム・ラティニョルをごらん。音楽をやっているからって、何もかもほったらかしにしたりはしないぞ。それでいて音楽家としての腕前は、君の画家としての腕前より上だ」

「彼女は音楽家じゃないし、私は画家じゃないわ。私がいろんなことを放り出すのは、絵を描くせいじゃないわ」

「じゃあ何のせいなんだ？」

「さあね！　わからないわ。放っておいてちょうだい。いちいち口を出さないで」

会話はここで打ち切られるので、どうやら夫はひとまず彼女を「放っておく」ようだ。小説の展開としては不満足というほかないし、「さあね！　わからないわ」（"Oh, I don't know!"）という科白《せりふ》にしても、妻として母として何と無責任な、と今日でも多くの人の顰蹙《ひんしゅく》を買いそうである。だが、まさに何をしたいか「わからない」ところに彼女の切実さがあるのではないか。何をしたいかはわからないがとにかくよき母・妻である気はしない、というのは完璧にまっとうな心情に僕には思えるし、これを「いま・ここに在ることへの絶対的不満」といったもう少しもっともらしい言葉でまとめれば、この女性は一気に、サリンジャー『ライ麦畑でつかまえて』（一九五一）やシルヴイア・プラス『ベル・ジャー』(一九六三)といった青春小説において「理由なき反抗」を展開する若者たちの先駆者に見えてくる(ちなみに、それら二作とほぼ同時代の青春映画『理由なき反抗』〔一九五五〕の主人公は、強き父を欲しているという理由アリアリの反抗なので無関係)。何をしたいかわかれば、話は簡単なのだ。わからないから苛立ち、焦り、無為に力むのである。

村上春樹はあるところで、メルヴィル『白鯨』(一八五一)、F・スコット・フィッツジェラルド『グレート・ギャツビー』(一九二五)、そして『ライ麦畑でつかまえて』の三人のヒーローを挙げて、「志は高く、行動は滑稽」という共通点を指摘している。『目覚め』のヒロインもこうした、現実の行動に表われている以上の志を背後に感じさせる人物たちの系譜に入れてよいと思う。

彼女を慕う誠実な若者ロベールは、おそらくエドナのそうした渇望を直感的に感じとっている。だがそのロベールも、エドナが夫ある身だという壁は越えられず(この小説は十九世紀末の富裕な人々をめぐる物語なのだ)、結局二人が結ばれることはない。夫の友人である老医師マンドレも、エドナの抱えた問題を理解してくれてはいるが、さりとて彼女を助けられるわけではない。どうも十九世紀末―二十世紀前半のアメリカ女性作家による小説に出てくる男性の大半は、女性に対して、①「お前は私の所有物であり私の言うとおりにやっていればよいのだ」とふるまう父権的な男性か、②「僕は君のことわかってあげられるんだけど僕には何もしてあげられないんだよ」とふるまう心優しい軟弱な男のどちらかという気がする。エドナの夫は①であり、マンドレは明らかに②である。ロベールも基本的に②だが、万一彼がエドナと結ばれるようなことがあれば、ひょっとすると①に変貌しかねない。

やがてエドナは、友人の出産に立ち会い、母であることを自分が望んでいないのをあらためて思い知ったのち、入水自殺を遂げる。この唐突な結末は、何度読んでも驚かされる。

沈んだ気分が眠れぬ夜のあいだに彼女に訪れ、その後ずっと去っていなかった。この世に彼女が望むものはひとつとしてなかった。ロベール以外、そばにいて欲しいと思う人は一人もいなかった。そして彼女は、そのロベールでさえ、そしてロベールへの想いまでも、いつか彼女の生活から溶けて消え、彼女を一人置き去りにする日が来るのだということにも気がついた。子供たちは彼女の前に、彼女を打ち負かした敵対者のように現われた――彼女を圧倒し、一生涯ずっと、魂の隷属へ引きずり込もうとする敵として。だが彼らを逃れるすべはわかっていた。浜辺に歩いていきながら、彼女はべつにこうしたことを考えていたわけではなかった。

湾の水は眼前に広がり、太陽の百万の光を浴びて輝いていた。海の声は誘惑的で、たえまなくささやきかけ、叫び、呟き、孤独の深淵のなかでさまようよう魂を誘っていた。(……)
去年の水着は、いつもの釘に色あせて掛かったままになっていた。
彼女はそれを着て、服は更衣所に置いていった。だが、一人きりで海のすぐ前に立つと、その不快な、ちくちく貼りつく衣も脱ぎ捨てて、生まれてはじめて大気のなかで裸になって、太陽に照らされるがままに立っていた。潮風が体を打ち、波は彼女を招いていた。

こうして彼女は水に入っていき、死んでいく。

父親の声と、姉のマーガレットの声が聞こえた。スズカケの木につながれた、老いた犬の吠える声が聞こえた。玄関ポーチを歩く騎兵隊将校の鳴らす拍車の音が響いた。蜂たちの羽音が漂い、ナデシコのかぐわしい香りが空気を満たした。

こうした郷愁的なイメージとともに『目覚め』は終わる。この結末をどう捉えるべきか。前章で触れた、父権のかたまりである夫によって人形のような生活を強いられる「黄色い壁紙」(一八九二)の主人公の発狂が見ようによっては救い・勝利ともとれるように、エドナの入水も、単純に恋の破綻ゆえの破滅ともとれる一方、ある種の救済のように読めなくもない。それとも、破滅=死という形でしか救済がないことに悲劇を見るべきか。また、子供のころに――つまり、父親に頼っていればよかったころに――彼女がいわば快く退化して死んでいくことをどう考えたらよいのか……答えをひとつに絞りようがない、切実な多義性をはらんだ結末である。

＊

メルヴィル『ピエール、または曖昧さ』(一八五二)の主人公の若者も、エドナと同じく何不自由ない暮らしをしている。しかもピエールは、エドナとは違い現状に何の不満も抱いていない。「姉」「弟」と呼びあう美しい母親と二人で田園の大邸宅に暮らし、無垢で純真な娘ルーシーとの結婚を間近に控え、作家としてもそこそこに評価されて、将来に何一つ不安はない。父はすでに死に、叔母たちにも可愛がられ、女たちを独り占めにしている貴公子である。

ところがそこに、ピエールの異母姉と自称する、謎の美女イザベルが現われる。イザベルの語る、混乱した物語――どこか異国の森の屋敷での幼年期、おそらくは精神病院と思われる場所での数年間、また別の屋敷での生活、定期的に訪ねてくる「おとうさま」なる人物、「おとうさま」の死……――に基づくかぎり、彼女がピエールの姉であるという保証はない。だがピエールは、彼女の言葉をとにかく信じることにする。この信仰の飛躍を作者メルヴィルは、真の姉弟のみが結びうる霊的関係の産物であるようにも、単にピエールがイザベルの異国的な美貌に惹かれた結果であるようにも書いている。副題どおり、さまざまな曖昧さにこの作品は満ちている。

ルーシーが金髪で青い瞳、光と無垢の乙女だとすれば(Lucy は語源的にも「光」の意)、イザベルは黒髪に黒い瞳、闇と謎の女である(Isabel は毒婦の代名詞ジェゼベル Jezebel をかすかに連想させる)。姉と決めた、悲惨な暮らしをつづけてきた闇の女を救うべく、ピエールは光と無垢の乙女を捨て、美しい母親との関係も捨て、家名も捨ててイザベルと夫婦関係を偽装し(彼女を姉として公に認めることは亡き父の名を汚すことになるし、家系を誇る母もイザベルを認知しないだろうし……と、錯綜した論理でピエールはこの選択肢に行きつく)、未婚のまま男に捨てられ赤ん坊も死なせてしまった不幸な娘デリーも連れて、美しい田園を離れてニューヨークに移る。

前作『白鯨』のような海洋小説では女性読者に読んでもらえないから、ここはひとつ手っ取り早く金を稼ごうと、当時売れ線だった「家庭小説」路線に手を染めたはずの作品『ピエール』は、このあたりを境にどんどん売れ線から逸脱していく。物語自体が奇怪になっていくとともに、文学・人生をめぐる、往々にして書き方もかなり不思議な議論も頻出するようになる。たとえば、ニューヨークへ向かう馬車のなかで、はたして自分の選択は正しかったのだろうかとピエールは迷うが、そこで語り手はピエールを、宗教的疑念に一瞬とらわれたカトリックの司祭にたとえ、司祭なら迷ってもまた気合いを入れて祈れば教会やら何やらが後ろ盾になってくれるが、ピエールはそうは行かないと述べる。

ゆえに、司祭とピエールの違いはここにある。司祭にとっては、自分の抱いた実体なき思考が真か否かの問題であったが、ピエールにとっては、自分の採ったきわめて重大な行動が正しいか間違っているかの問題だったのである。このささやかな木の実のなかに、まさに胚芽のごとく、いくつかの厄介な問題の解答かもしれぬものがひそんでいる——そしてまた、それらの問題の解決に伴って生じる、さらなる、より深遠な問題も。この最後の一点があまりに真であるがゆえ、人によっては、さらに多くの仕事を抱え込んでしまうのを恐れて、現在の問題をいっさい解決しようとしない者もいるほどだ。

奇妙な論理である。まず、司祭とピエールの比較は明快だ。そうそう、思想がどうこうとか言ったって現実的な成果や問題を生むのは要するに行動なんだよな、とうなずかされる。が、次に、「このささやかな木の実のなかに、まさに胚芽のごとく、いくつかの厄介な問題の解答かもしれぬものがひそんでいる」あたりで、「ん？　何か話が変わってないか？」と首をひねり、「そしてまた、それらの問題の解決に伴って生じる、さらなる、より深遠な問題も……」以降は、問題を解決するのは無駄である、どうせもっと深い問題が出てきてしまうのだから、ゆえに賢者は問題を解決しようなどとはしない、と妙に説得力のある真理をポロッと言われて、読み手は唖然としてしまう。

しかも、人生のさまざまな側面についてかくも達観していたにもかかわらず、当時のメルヴィル自身の人生は挫折の連続だったことを考えると、何とも皮肉に思える。が、これは皮肉でも何でもないかもしれない。問題を把握できることと、その問題を解決できるかどうかは別であることも、語り手は述べているからだ。

なぜなら、途方もない窮地に至った者の魂は、溺れかけている人間のようなものだからだ。危険のただなかにあることは自分でもよく承知している。危険の原因もよく承知している。にもかかわらず、海は海であり、溺れかけている人間は溺れるのだ。

『目覚め』の海は、死をもたらす場であると同時に、回帰すべき子宮のような平穏さ人をたたえた場でもあった。だが『ピエール』の海は違う。それはただの海であり、人はそこでただ溺れるしかない。

文筆でイザベルとデリーを養うべくニューヨークに来たものの、人生の光の奥にある闇を見てしまったピエールは、かつてのように「夏のソネット」だの何だのをスイスイひねり出すこともできず、暖房もない部屋で、働きすぎと栄養不足とで目もろくに見えなくなりながら懸命に執筆をつづける。そこへ、ピエールのことを忘れられぬ乙女ルーシーまで押しかけてきて(ここが展開としては一番驚かされる)、かつてとはまったく違った形で女たちを「独占」することをピエールは余儀なくされる。イザベルとピエールは依然夫婦を装い、ルーシーはイザベルに対してはピエールの従妹を自称し……。

こうした壮絶な関係をめぐる物語のなかに、妙に鋭い人生論や、ほとんど場違いと思えるギャグ(たとえば、ピエールたちと同じ建物に住む貧乏芸術家たちが、芸術的霊感を目覚めさせるべく朝いっせいに乾布摩擦に勤《いそ》しんだり……)が挿入され、ピエールの破滅の物語は、小説『ピエール』をもほとんど破滅させていくかのように思える。事実、今日ではメルヴィル文学を考える上で重要作と見られることも多い一方、読めたものではないという声もしばしば聞かれる。

さらにまた、小説『ピエール』は、作家メルヴィルをほとんど破滅させもした。刊行後、「メルヴィルは発狂した」「不道徳の極み」といった酷評が相次ぎ、手っ取り早く金を稼ぐどころか、印税は出版社から前借りした額に遠く及ばず、『ピエール』を書いたことによってメルヴィルは数百ドルの負債を負ったのである。

建てる

のどかな、愕然としている大地を彼らが急襲し、館と、均整のとれた庭とを音なき無から乱暴に引きずり出し、不動の、法王のように掌を上に向けたその下で、トランプのようにばしんとテーブルに叩きつけ、サトペン荘園を創造する——いにしえの光あれのごとく、サトペン荘園あれ、と……——ウィリアム・フォークナー『アブサロム、アブサロム！』

アメリカ文学には家を建てる話がよく出てくる。十九世紀末アメリカ文壇の大御所ウィリアム・ディーン・ハウェルズの『サイラス・ラッパムの向上』（一八八五）の主人公で、ペンキ製造によって財を成した田舎者サイラス・ラッパムは、上流社会に仲間入りをめざす野望の一環としてボストンに豪邸を建てる。町を離れて森のなかで一人暮らした日々を綴った、ヘンリー・デイヴィッド・ソロー『ウォールデン』（一八五四）で書き手ソローがまず実行するのが自分の労働で小屋を建てることであり、『ウォールデン』にもその経過がきわめて詳細に（材料の一つひとつをどこで手に入れたか、道具は誰から借りたか等々）記されている。時代下って、現代では、ポール・セルー『モスキート・コースト』（一九八二）に出てくる父親が、「アメリカにはスペースがなくなった」と言って家族を連れてホンジュラスに渡り、ジャングルのなかに、家のみならず一大共同体を築こうとする。

自分で建てる話でなくても、F・スコット・フィッツジェラルドの『グレート・ギャツビー』（一九二五）のジェイ・ギャツビーがニューヨーク郊外に購入する大邸宅（「それはノルマンディーの某市庁をそっくり模したもので、一方に真新しい塔がそびえ、若い蔦《つた》が薄いひげのように絡まっているのに加えて、大理石のプールや、四十エイカーを超える芝と庭があった」）などは、壮大でもあり胡散《うさん》臭くもあるギャツビーという人物の二面性をそのまま反映している。ポー「アッシャー家の崩壊」（一八三九）でも“the House of Usher”という呼称で「屋敷」とその「住人」の両方が指されることが強調され、家の窓が人の目のようだといった描写もなされて、家と人間とが分かちがたく結びついている。チェコの人形アニメ作家ヤン・シュワンクマイエルによる映画版『アッシャー家の没落』（一九八〇）では登場人物が一人も現われず、すべてがナレーションと、家具や窓や扉や棺の動きによって説明される。さすがは名手シュワンクマイエルだが、このような着想が成立するのも、家と人の境界線が妖しく曖昧な原作があってこそである。

これらの作品を並べてみて、一般的法則を導き出すとすれば、それは、〈自己創造の意志が外の世界に投影されるとき、アメリカ文学では「館」を建てる（あるいは買う）という形をとることが多い〉ということになると思う。要するに、家を作ることは自分を作ることなのだ。たとえばこの章のはじめで触れたサイラス・ラッパムのように、self-made man（自分で自分を作った男、自力でたたきあげた男）というアメリカ起源のフレーズがいかにもふさわしい、経済的には相当「向上」し、すでにある程度の自己創造をなしとげた人間にとって、豪邸を建てることは、社会的に自己創造を遂げるための必要不可欠のステップなのだ（結果的には、豪邸は建築中に焼失し、ラッパムは経済的に没落するが、それを機に愚かしい栄華の夢からさめて人間的に「向上」する、というのがタイトルの意味）。『ウォールデン』のソローはそうした金銭・物質で測れるような自己創造とは反対の方向をめざし、どこまで何もなくても自分自身であれるかの実験を推し進め、家に関してもどこまでシンプルにできるかをとことん考えながら作っている。十九世紀なかばに書かれた本だが、その後続出することになる、成功神話の栄光と悲惨を綴った物語を、あたかもいち早く裏返したかのように思える書物である。

さらに話を一般化すると、表側であれ裏側であれ、これら家と自己創造をめぐる一連の書物はみな、前章でも触れた『フランクリン自伝』（フランス語版一七九一、英語原文版一八一八）の批判的な読み替えとして読むことができると思う。

> 貧しく名もない家に生まれ育った私が、こうして裕福な身となり、世間でもある程度の評価を得るに至り、これまでの人生にあって相当な幸福の分け前にあずかってきた上で用いてきた手段――それらが大いに成功したのも神の恵みがあったからこそだが――は、おそらく子孫の者たちの興味をそそるものでもあろう。それらの手段のなかには、自分の状況にも当てはまり、ゆえに真似てみたいと思えるものもあろうから。

――こうフランクリンは、『自伝』の冒頭で息子に向かって述べている。要するに『フランクリン自伝』とは、アメリカ最大のセルフ＝メイド・マンの一人による、自分の作り方マニュアル、アメリカ人製造法指南書である。たしかにこれは、家を建てる話ではない。だがフランクリンといえば、むろん建国の英雄。自分を作る話がそのまま国を建てる話でもあるのだ。

国が建ってしまえば、あと建てられるものは、家か墓くらいしかあるまい。で、その後のセルフ＝メイド・アメリカンたちは家を建てるのである（ちなみに、もう当然家も建ててしまった古代の王たちは、いうまでもなく壮麗な墓を建てた）。少し大げさにいえば、家を建てることは、象徴的にもう一度アメリカを建てる行為である。ソローがウォールデン池のほとりに建てた小屋に、七月四日（アメリカの独立記念日）に住みはじめたのも、そうした象徴的な意味を意識してのことだろう（もっとも、このソローという人、生真面目な元祖エコロジストみたいに思われたりもするが、実はジョークや言葉遊びが大好きで、これも眉に唾をつけつつ受けとらねばならないが）。そして『モスキート・コースト』の父親がホンジュラスのジャングルにテクノロジーを持ち込んで新しい共同体を作ろうとするのは、まさにアメリカの歴史を一から生き直そうとすることだ。

もちろん、たとえ悲惨な結果に終わるにせよ、このような自己創造神話がとにもかくにも機能するのは、主として白人男性作家・主人公のあいだにおいてであることは言い添えておかねばならない。これがたとえば、イーディス・ウォートン『歓楽の家』（一九〇五）になると、その「家」とは、才気も美貌もありながら富がないために破滅に追いやられる女主人公リリー・バートを拒む金持ちたちの館にほかならない（ついでにいえば、リリーが男性に求めるものを富以外は全部持っている、結局リリーを救えずに終わる男セルデンは、前章で述べた、この時代のアメリカ小説によく出てくる「僕は君のことわかってあげられるんだけど僕には何もしてあげられないんだよ」とふるまう心優しい軟弱な男の典型である)。逆に、堂々たる「館」に拒まれることなくすでにそのなかに入っていても、前章、前々章でも触れたギルマンの「黄色い壁紙」(一八九二)のヒロインの場合のように、その館が牢獄として機能してしまうことも少なくない。医師である夫に休養を強制された妻が一日を過ごす部屋の窓には、まさに鉄格子が入っているのだ(ちなみにこっちに出てくる、主人公にいっさいの自由を許さない夫は、この時代の男性のもうひとつのタイプ「お前は私の所有物であり私の言うとおりにやっていればよいのだ」とふるまう父権的な男性の超典型)。

　自己創造の栄光と悲惨を描いた物語に話を戻すと、アメリカ文学史上そのもっとも強烈な例はおそらく、ウィリアム・フォークナー『アブサロム、アブサロム!』(一九三六)に出てくる、南部の田舎町に忽然と出現し、大邸宅を建て、百平方マイルに及ぶ壮大な「サトペン荘園」(Sutpen's Hundred)を築こうとする男トマス・サトペンだろう。

静かな雷鳴のなかから彼（人間と馬の悪鬼）は突如、学校で賞をもらった水彩画のように平和で気品ある場面に現われ、髪や服や髭にいまだ硫黄の匂いをかすかに漂わせ、そのうしろには、野生の黒人どもの一団が、人間のように立って歩くべくなかば飼い慣らされた獣のように、野生ながらの落ち着いた姿勢で肩を寄せあい、そのなかに、手枷《てかせ》をはめられた、暗い顔の、やつれ、悄然としたフランス人建築家がいた。微動だにせず、髭をたたえ、片方の手のひらを上に上げて馬上の男は座っている。そのうしろで、野生の黒人たちと囚われの建築家がひっそりと固まり、血のない逆説ともいうべく、平和な征服の道具たるシャベル、つるはし、斧などを手に持っている。それから、呆然として虚ろなクェンティンの目に、彼らが百マイルの地を突如襲うのが見える思いがした——のどかな、愕然としている大地を彼らが急襲し、館と、均整のとれた庭とを音なき無から乱暴に引きずり出し、不動の、法王のように掌を上に向けたその下で、トランプのようにばしんとテーブルに叩きつけ、サトペン荘園を創造する——いにしえの光あれのごとく、サトペン荘園あれ、と——のが見える思いがした。

——実に中味の濃い、細かく読んでいくに値する一節である。まず状況を整理しておくと、時は一九〇九年、南部育ちの若者クェンティン・コンプソンは、北部の大学に向かって発つ直前、半世紀近くずっと世捨て人のように暮らしてきた老婆や、自分の父親から、過去この地で起きたさまざまな出来事を聞かされる。その話の中心にいるのが、この「悪鬼」トマス・サトペンである。引用したのは、作品がはじまってまもない箇所。

サトペンがこの地に出現したのは一八三〇年代、クェンティンの生まれるはるか昔である。だが、老婆たちの話を聞いているなかで、クェンティンの脳裡に、その悪鬼の姿が徐々に像を結んでいく。事実としては知らなくても、南部生まれであるクェンティンのいわば血のなかを流れている物語たちが、呪文を唱えるようにえんえんと語りつづける老婆の声によって呼び起こされるような具合なのだ。引用冒頭の「静かな雷鳴のなかから」という言葉の矛盾にも見られるとおり、クェンティンはその物語の情景を、あたかも無声の、しかし想像力によって音の補われた映画を見るように見ている。

そのすぐあとに出てくる「人間と馬の悪鬼」(man-horse-demon)という言い方は、半人半馬の怪物ケンタウロスを連想させる。ケンタウロスといえば元来ギリシャ神話では、人の結婚式に呼ばれて花嫁に手を出そうとしたりする好色な乱暴者である。それが「学校で賞をもらった水彩画のように平和で気品ある場面に現われ」ることで、淑女が乱暴者に襲われるイメージが喚起される（そもそもアメリカ文学では、白人文明が自然を征服するさまが時に強姦のイメージで語られる)。こうした無法者のイメージに加えて、「髪や服や髭にいまだ硫黄の匂いをかすかに漂わせ」ているのは、この悪鬼が地獄からやって来たことを象徴する(硫黄は伝統的に地獄を連想させる)。悪鬼のうしろに控える黒人奴隷たちは、「野生ながらの落ち着いた姿勢」「血のない逆説」「平和な征服の道具」といった撞着《どうちゃく》表現の多用によって、狂暴さよりもむしろ大人しさが浮き上がるような形で(だが暴力の予感も感じさせる形で)描かれ、悪鬼サトペンの恐ろしさを背後からきわだたせている。

「のどかな、愕然としている大地を彼らが急襲し」、凌辱のイメージがふたたび喚起されたあと、「館と、均整のとれた庭とを音なき無から乱暴に引きずり出し」では、強制的な出産のイメージがそれにとって代わる。「法王のように」(pontific)という聖職者のイメージをあいだに助走としてはさんだのち、「いにしえの光あれのごとく、サトペン荘園あれ、と」では天地を創る神と、館を建てるサトペンとが重ねあわされる。そうした雄大な神話化をなす表現のあいだに、館と庭を「トランプのようにばしんとテーブルに叩きつけ」るという言い方が挿入され、暴力的なイメージを継続させるとともに、“house of cards”(おぼつかない計画、もろい建物)という成句も連想させて、その雄大さが危ういものであることを示唆する。

このように、暴力、邪悪、雄大、不遜、危うさといったさまざまな要素が、凝縮された形でこの一節に盛り込まれている。この男を滅ぼすために南部は南北戦争に負ける必要があったのではないか、と述べられるほどの神話的人物のイメージが、こうして肉づけされていくのである。

現実的な情報をこれに補足すれば、サトペンは元来、所有という概念そのものが存在しないような山奥の貧しい地で生まれ、そもそも貧しいということが何を意味するのかさえ考えずに育つが、その後一家は、もう少し開けた地に移住する。そしてあるとき、少年だったサトペンは、父親の雇い主の住む豪邸に使いにやられ、表玄関からなかに入ろうとして、「貧乏人は裏口へ回れ」と黒人の召使いに言われて大きなショックを受ける。このとき彼は、いつか自分もこのような豪邸に住もう、と心に決めるのである。

二十世紀を生きる若者クェンティンの頭のなかでは、トランプのカードを叩きつけるように一瞬にして館と庭が完成するような感があるが、実際には（ソローがウォールデンに自分の手で小屋を建てる作業の悪夢版のごとく、材料を極力自前で調達することもあって）豪邸完成には数年を要する。が、フォークナー的時間にあっては、何か決定的な出来事が起きないかぎり、数秒でも数年でも同じことなのだ。いずれにせよ、館を完成させたサトペンは、成金親爺サイラス・ラッパムが豪邸建築と並行して娘を良家の息子と結婚させたいと願ったように、自分自身に花嫁を見つけ、やがて息子と娘も生まれて、少なくとも形の上では、その地方で誰よりも大きな館に住む、立派な名士となる。

だが、その大邸宅は、たしかに"house"ではあっても、"home"では断じてない。夫と妻のあいだに、心の交流のようなものはいっさいない。サトペンにとって大事なのは、名士としての社会的地位を獲得し、みずから築いたサトペン荘園を継承する跡とりを残すことだけであり、妻はそのための手段にすぎないのだ。

こうした展開に、『グレート・ギャツビー』『モスキート・コースト』などをあわせて考えると、大まかには、〈自己創造の意志が強烈であればあるほど、その人物が建てるhouseがhomeでない度合が強くなる〉という一般則が成立しそうだ。妻がいようが、子供たちがいようが、男の目は家と、家が体現する、自分自身のイデアともいうべきものに向けられている。

だがトランプの館は、やがて崩壊していく。サトペンは南部に忽然と姿を現わす前、実はハイチで結婚し、子供ももうけている。ところが、妻に黒人の血が混じっていることが判明したため、妻と息子を離縁し、ふたたび一からはじめようと南部にやって来たのである（ちなみに、サトペンにせよギャツビーにせよ、時間の流れを無視して人生をやり直せると信じているところもこうしたセルフ＝メイド・マンの大きな特徴）。

そして結局、このことがサトペンの命取りになる。時は流れ、ハイチでのサトペン第一の結婚で生まれた息子であり、すでにみずから妻子もあるチャールズ・ボンが、南部でのサトペン第二の結婚で生まれた娘ジュディスと結婚しそうになって（つまり、近親相姦、重婚、異人種混淆がいっぺんに生じそうになって）、ジュディスの兄ヘンリーがこれを阻止しようと（近親相姦と重婚は許せても、異人種混淆はヘンリーには許せない）、ボンを撃ち殺してしまう。こうして、黒人の血が混じっていない「正統」な息子ヘンリーも、殺人犯として行方をくらまし、サトペン荘園を継承する者は失われてしまう。それにまた、折しも世は南北戦争、荘園は荒れ放題で、かつての栄華は見る影もない。

ヨーロッパ文学において人間と人間を隔てる基本的な線引き基準が〈性差〉と〈階級〉であるとすれば、アメリカでは三つ目の要素として〈人種〉が加わる。『アブサロム、アブサロム！』で起きることを一言でまとめるなら、きわめてアメリカ的に、自分をゼロから作り上げようとした男が、人と人とを隔てるきわめてアメリカ的な要素によって滅ぼされる、という事態だといってよい。自分がかつて捨てた、黒人の血が混じった息子の出現が契機となって白人の息子が身を滅ぼすという展開のみならず、サトペン荘園を荒廃させる南北戦争にしても、人種問題が大きな論点であったことはいうまでもない。アメリカ的な成功の夢の物語と、人種の悲劇とをわかちがたく絡めたところに、『アブサロム、アブサロム！』の壮大さがある。最後に屋敷に残っているのが、廃人同様になったヘンリーと、サトペンが黒人奴隷に生ませた女クライティと、ヘンリーに殺されたチャールズ・ボンの孫にあたる知恵遅れの黒人ジム・ボンドの三人であるという設定は、その絡みあいの凄絶な縮図にほかならない。

＊

こうして見てみると、アメリカ文学には house はあっても home はない、と断じてしまうのは言いすぎとしても、house は成立しても home は成立しにくい文学である、くらいは言えそうだ。なぜそこまで home がないのか？　これも大まかな話にならざるをえないが、基本的に、人と人が向きあう文学というより、人が人に背を向けて世界と向きあう文学だから、とひとまず言うことができると思う（「世界」といっても「世間」の意味ではなく、むしろ自己のイデアを投影すべき場だが）。

もちろん、例外はある。アメリカ文学における home の好例は、たとえばこんな形で表われる。

いかだがそこから二マイル下って、ミシシッピのまんなかにでるまでおれは安心できなかった。そこまででると、おれたちは信号用のランタンをかけて、これでまただいじょうぶだとおもった。おれは昨日からなにもたべていなかったから、ジムがトウモロコシパンとバターミルク、豚肉とキャベツ、それに青菜——ちゃんと料理すれば世の中これほどうまいものはない——をだしてくれて、おれが晩飯をたべながらふたりで話をして、ゆかいにすごした。おれはあらそいごとからにげられてすごくうれしかったし、ジムも沼地からにげられてよろこんでいた。やっぱり、いかだほどいい家はないよな、とおれたちは言った。ほかはどこもすごくせま苦しくて息がつまるけど、いかだはそんなことはない。いかだの上は、すごく自由で、きらくで、いごこちがいいんだ。

——「名前」の章でも取り上げた『ハックルベリー・フィンの冒険』(一八八四)の一節である。昨日から何も食べていないハックにいそいそと夕食を出してくれる逃亡奴隷ジムは、世話女房のように甲斐甲斐しい。実際、ハックとジムのあいだに同性愛的関係を読みとる批評も珍しくないわけだが、作品からきわだってくるのは、二人の関係の深まりよりもむしろ、牧歌的で自由な筏の上と、「せま苦しくて息がつまる」陸の世界との対比だと思う。まさに「いかだほどいい家はない」(There warn't no home like a raft) のである。ハックの喋る英語の文法的間違いはこの小説の大きな魅力のひとつだが、"Other places do seem so cramped and smothery, but a raft don't" の、"a raft don't" はなかでもとりわけ印象的である。"a raft doesn't" では伝わらない独自の雄弁がそこにはある。

だが、いうまでもなく、この牧歌は長続きしない。「名前」の章でも触れたように、いずれこの水上の楽園に "other places" が侵入してきて、ハックはその鬱陶《うっとう》しい現実を何とかかわすべく、名前を変え、身分を偽って、はからずも「冒険」をくり広げざるをえないのだ。小説の後半に至ると、ミシシッピの牧歌はほぼ完全に失われてしまう。だとすれば、このすぐれた例外も、結果的にはむしろ原則を強調していると見るべきだろう。

現代に目を転じてみるとどうか。烈しい自己創造の意志を持った男が豪邸を建てる、という直球の設定はにわかに思いつかない。むしろたとえば、家族を核の脅威から守ると称して家の裏庭に穴を掘りつづける男 (ティム・オブライエン『ニュークリア・エイジ』一九八五)、借金を返済するために富豪の庭に機能的にはまったく無意味な壁を作りつづける男たち (ポール・オースター『偶然の音楽』一九九〇) など、「建てる」という定型が相当歪んだ形で再生産されているように思える。"home"はアメリカでは依然、「峠の我が家」（Home on the Range）といったような、民謡やカントリー&ウェスタンに見られるような通俗的イメージにとどまっているのだろうか。もっとも、「峠の我が家」にしても、いざ歌詞を見てみると、バッファローがぶらつき鹿やレイヨウが遊んでいるところこそ我が家、といった言葉が並んでいて、人に目が向いているとはあまり思えないのだが。

組織

これ以上飛行任務を務めるのは狂っている人間のすることであり、務めないのが正気というものだが、正気であれば務めねばならないのだ。——ジョーゼフ・ヘラー『キャッチ＝22』

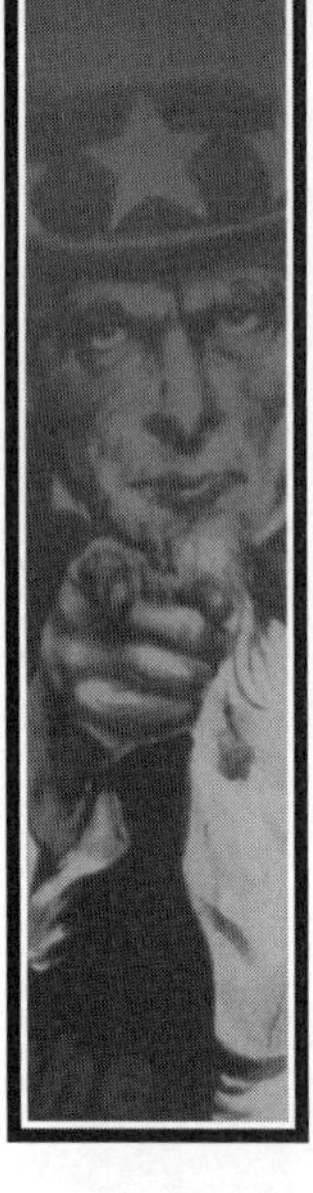

一九六〇年代アメリカで、「若者のバイブル」と呼ばれて広く読まれた小説が三冊ある。

いわゆる「青春の書」としていまも広く読まれている（「制度」になり果てた惰性ゆえ、という面がなくもない気がするが）J・D・サリンジャーの『ライ麦畑でつかまえて』（一九五一）。精神病院を舞台とし、ミロス・フォアマンの映画版でも知られるケン・キージー『カッコーの巣の上で』（一九六二）。そして、現代社会に蔓延する似非《えせ》論理を表わす言い方としてすっかり普通名詞化した言葉をタイトルに持つジョーゼフ・ヘラーの『キャッチ＝22』（一九六一）である。

『ライ麦畑でつかまえて』は、〈インチキな〉（phony）を鍵言葉に、大人社会（と、それを醜悪に模倣する同年輩の連中）を嫌悪しまくる男の子ホールデンの物語である。結末で、ホールデン少年はどうやら精神病院に入っているらしいことが判明するが、もちろん読者は、狂っているのは大人社会の方であって、純粋にして無垢なるホールデン少年こそ真に正気であることを知っている。

『カッコーの巣の上で』は精神病院を舞台に、権力者「ビッグ・ナース」を中心とする病院側と、みな精神に何らかの問題を抱えている患者側とが対比的に描かれるが、その管理する側／される側という図式は、言うまでもなく管理社会全体を暗示している。そして言うまでもなく、管理する側は加害者であり、管理される側は被害者である。

『キャッチ＝22』は、軍隊という組織本来の目的や大義はとっくに忘れられ、組織自体とその管理者たちの存続・肥大化がすべてに優先されるなかで、戦争で人が（そして自分が）死ぬことへの恐れを失っていない一握りの人間が組織を相手に奮闘する話である。

基本的な構図はどれも同じだ。狂気に浸された現代社会そのもの、あるいはその縮図たる組織に対して、一握りの正気な人々が果敢もしくは滑稽（またはその両方）に積極的・消極的反抗を試み、その結果悲劇的に花と散るか、喜劇的につかのまの勝利を得るか、ひとまず休戦状態に入るかして話が終わる。いかにも「体制」といえば「打破」と答えた六〇年代に好まれそうな構図である。

このなかで、今日読んで一番身近に思えるのは、〈権力への反抗〉を基調に据えた『カッコーの巣の上で』や〈偽善への嫌悪〉に貫かれた『ライ麦畑でつかまえて』よりもむしろ、〈官僚的論理の悪夢〉を主要モチーフとする『キャッチ＝22』ではないかと思う。

〈権力への反抗〉に素直に乗るには、世紀末に生きる我々は、自分がかりにひとつの局面で被害者であっても別の局面では加害者でもあることをあまりに意識している。また、〈偽善への嫌悪〉に酔おうにも、何かが〈インチキ〉か〈本物〉かどうかの差異が相対的なものでしかないことが見えてしまった、要はその何かが商品として〈イケてる〉かどうかが問題である消費社会爛熟期（末期？）に生きている身としては、それもやりづらい。

たしかに『キャッチ＝22』にも〈権力への反抗〉や〈偽善への嫌悪〉の要素はある

し、時として安手の感傷に酔ったり、ここでこそ加害者意識を感じるべきと思えるところであっさり自分を被害者側に置いたりもしていて、たぶん小説としても三冊のなかで一番破綻している。が、この小説の人々を縛っている――そしておそらくは当時の現実を生きていた人々を縛っていた――官僚的論理は、世紀末を生きる我々をも等しく、あるいは当時以上に縛っていると思う。

舞台は第二次大戦末期イタリアの、アメリカ空軍基地。主人公ヨサリアンは、単に上司の名誉欲ゆえに敢行される危険な爆撃飛行をこれ以上やらされてはかなわないと、狂気であることを理由に、飛行任務の免除を軍医に願い出る。

「あんたの力で、狂ってる奴の飛行任務を免除できないのか?」

「ああ、もちろんできる。そうするのが私の義務だ。狂っている人間がいたら私が飛行任務を免除するという規則があるんだ」

「じゃあ俺の任務を免除してくれよ。俺は狂ってるんだ。クレヴィンジャーに訊いてくれよ」

「クレヴィンジャー? クレヴィンジャーなんてどこにいる? クレヴィンジャーを探してこい、そしたら訊いてやろう」

「じゃあほかの誰にでもいいから訊いてくれよ。俺がどんなに狂ってるか、みんな言ってくれるさ」

「あいつらは狂っておる」

「じゃあどうしてあいつらの任務を免除しない？」

「どうして免除してくれって頼みにこない？」

「狂ってるからだよ」

「もちろんあいつらは狂ってる」とドック・ダニーカは答えた。「やつらは狂っておる、そうたったいま私は言ったろう？　で、お前が狂ってるかどうか、狂ってる人間には決められんだろう？」

ヨサリアンは神妙な面もちで医師の顔を見て、別の戦法に出た。「オアは狂ってるかね？」

「いかにも」とドック・ダニーカは言った。

「あいつを免除してやれるか？」

「やれるとも。だがまず奴の方から頼みにこなくちゃならん。それも規則の一部だからな」

「じゃあどうしてあいつ、頼みにこないんだ？」

「狂ってるからさ」とドック・ダニーカは言った。「あんなに何度も危ない目に遭って、それでもまだ出撃をつづけるなんて、狂ってるとしか考えられん。いかにも、免除してやれるさ。だがまず奴の方から頼みにこないと」

「それだけで、飛行任務が免除してもらえるのか？」

「それだけだ。奴に頼みにこさせろ」

「そしたら免除してもらえるんだな？」

「いや。そしたら免除するわけにはいかん」

「落とし穴があるのか？」

「いかにも、落とし穴がある」とドック・ダニーカは答えた。「落とし穴《キャッチ》22だ。戦闘義務から抜け出したいと思えるなら、その人間は狂っていない」

　落とし穴はただひとつ、それがキャッチ＝22だった。これによれば、現実の身近な危険を前にして自分の安全を懸念するということは、合理的な精神が働いている証拠である。オアは狂っており、飛行任務を免除してもらえる。頼みさえすればよいのだ。そして、頼んだとたん、もはや狂ってはいなくなり、また任務を務めねばならない。これ以上飛行任務を務めるのは狂っている人間のすることであり、務めないのが正気というものだが、正気であれば務めねばならないのだ。務めれば狂っているのであって、務める必要はない。が、務めたくないならそれは正気である証拠であり、務めねばならない。このキャッチ＝22なる条項に、ヨサリアンは深い感銘を受け、敬意を表してひゅうっと口笛を吹いた。

「大した落とし穴だなあ、キャッチ＝22って」と彼は言った。

「もう最高の落とし穴さ」とドック・ダニーカも同意した。

キャッチ＝22は、決して間違った論理ではない。"Heads I win, tails you lose"(表なら僕の勝ち、裏なら君の負け)という言い方があるが、要するにその変形である。実際、論理のよじれを主たるギャグ源としているように思えるこの小説で、もっとも典型的な笑いは、むしろ人々が論理にあまりに忠実に従うことによって生じる。


「……さて、何の話だったかな？　最後の言葉を読んでくれ」

「『最後の言葉を読んでくれ』」と、速記のできる伍長が読み上げた。

「わしの最後の言葉じゃない、阿呆！」と大佐はどなった。「ほかの人間のだ」

「『最後の言葉を読んでくれ』」と伍長が読み上げた。

「またわしの最後の言葉じゃないか！」と大佐は金切り声を上げた。怒りで顔が紫色になっていた。

「いえ大佐、違います」と伍長が訂正した。「いまのは私の最後の言葉であります。ついいましがた読んでさしあげた言葉です。覚えていらっしゃいませんか？　ついいましがたです」

論理が杓子定規に守られることによって、仕事は進まない。仕事が進まないくらいならいいが、たとえば人の命を守ることよりも論理を一貫させることの方が優先されるとなれば、笑い話では済まない（それを、少なくとも三分の二あたりまでは、ほとんど全部笑い話にしてしまうのがこの小説のすごいところなのだが）。「ケチ臭い精神は愚かな一貫性をむやみと恐れ、ケチ臭い政治家や哲学者や聖職者はそれを崇めたてまつる。偉大な魂には一貫性など関係ない」と十九世紀の思想家エマソンは言った（「自己信頼」一八四一）。『キャッチ＝22』ではまさに、ケチ臭い一貫性が人間を縛っている。一貫性さえ保っていれば、将校連中は自分の業績を高めるために、何の必要もない爆撃任務を際限なく行なえるのだ。

一貫性となれば、人間よりも書類の方が優る。だから『キャッチ＝22』では、書類が人間より重みを持つ。何かの手違いで書類上死んだことになってしまえば、いくら本人が「生きてるぞ」と主張したところで意味はない。彼は死んでいるのだ。「どうも寒気がするんだ」と訴えても、返ってくる答えは――「そりゃ死んでるんだから当然です。体温があるだけありがたいと思いなさい」。

このように、戯画的に誇張された（だが誇張の方向としては圧倒的にリアルな）管理社会の縮図のなかで、軍隊組織の原理とは違った、商売の原理を持ち込んで一大シンジケートを築き上げる男がいる。食堂係将校、マイロ・マインダーバインダー少尉。〈本日の特売〉を胴体に大書した軍用機で世界中を飛びまわり、コペンハーゲンからチーズ・デニッシュを、パリやグルノーブルからはエクレアやシュークリームを、ベルリンからはプンパニッケル（ライ麦黒パン）やプフェファクーヒェン（胡椒入りクッキー）を持ち帰り、イギリスまで飛んでトルコ菓子を仕入れ、帰路マダガスカルに寄って芋や豆を満載したドイツ軍爆撃機を従えて帰ってくる。マルタ島で一個七セントで仕入れた卵を軍に戻って五セントで売るのは忠誠心かと思いきや、実はシチリアで一セントで買った卵をマルタで自分に四・五セントで売り、それを自分で七セントで買い、要するに「卵転がし」で値を吊り上げた卵を一見安く売っているだけの話。まるっきり、バブル期日本の土地転がしと同じである。

商談さえまとまればドイツ側の軍用機も利用するなど、多国籍企業の先駆とも見えるマイロは、ドイツ陣営内の橋を爆撃する仕事をアメリカ側から請け負い、その爆撃から橋を守る仕事をドイツ側から請け負って莫大な利益を上げる。さらには、ドイツ側の依頼を受けて、自分の隊の基地を爆撃しさえする。だがいまや、軍の利益よりもシンジケートの利益の方が重要、上官たちもマイロには頭が上がらず、彼を罰することもできない。これもまさに、冷戦が終結しイデオロギーの対立が消滅したあとの、カネがすべてと化した国際経済の現状を三十年早く戯画化している感がある。予言的であることが小説にとってどれだけの名誉になるかはわからないが、マイロが時代を先取りしている度合たるや、ほとんど不気味と思わずにはいられない。組織に対抗して草の根的に別組織を作った奴が、いつの間にか一番怖い組織になり果てていたという図式にしても、今日古びるどころか、ますます信憑性を帯びて見えないだろうか。

＊

企業や軍隊などの組織が巨大化する以前の十九世紀、崇めるにせよ、刃向かうにせよ、多くの人々にとって最大の組織は何といっても教会 and/or 神であっただろう。神なんていやしないさ、いたとしたって働いてやしない、俺たちのことなんか忘れちまってるのさ、と『キャッチ＝22』のヨサリアンは言ったが、十九世紀の人々は神についてそう涼しい顔をしてはいられない。とはいえ、無批判に神の善を――そもそも神の存在を――信じるのが基本形であるほど、宗教が絶対でももはやない。というわけで、戦うべき組織は時に、神がいるのかいないのかよくわからない状況全体であったりする。

目に見える物はみな、ボール紙でできた仮面にすぎん。だがそれぞれの出来事のなかに――

生きた営みのなか、疑われることのない行ないのなかに——何か未知の、だがつねに理性を働かせている存在が、理性なき仮面のうしろから、その目鼻をもたげているのだ。打つなら、その仮面を打ち抜け！　壁をぶち抜く以外、囚人がどうやって外に出られる？　俺にとって白鯨はその壁なのだ、俺の目の前に押し出された壁なのだ。時には、向こうには何もないのかも、と思うこともある。だがそれでいい。あいつは俺を駆り立てる。俺にのしかかる。あいつのなかに不埒千万な力が見える、不可解な悪意がそれに活を入れているのが見える。その不可解なものこそ俺には何より憎らしい。白鯨が代理であろうと、本尊であろうと、その憎しみを俺は奴にぶちまけてやる。冒瀆《ぼうとく》がどうこうなどと俺に言うな。俺を侮辱するなら、太陽にだって打ちかかってやる。太陽がこっちを侮辱できるのなら、こっちだって太陽に打ちかかっていいはずだ。ここにはつねにある種の公平が働いている。妬みがあらゆる被造物に行き渡っているのだ。だがその公平というやつとて、俺を支配する主ではない。俺の上に誰がいる？　真理は何ものにも囚われはしない。

——ハーマン・メルヴィル『白鯨』（一八五一）三十六章の一節。ただの鯨にそこまで復讐心を燃やすなんて冒瀆です、と訴える常識人スターバックに対するエイハブ船長の返答である。

「不可解」(inscrutable)はメルヴィルが世界についてよく使う形容詞である。エイハブは世界の不可解さ、不可知性に我慢がならないのであり、白鯨はその不可知性の代表(本尊)もしくは表象(代理)なのだ。だからこそ、白鯨に対してあれほど憤る。白鯨が代理であれば、その「仮面」のうしろには神(か悪魔)がいる。本尊であれば、その向こうに神も悪魔もいはしない。が、知への意志を妨げるという意味ではどちらでも同じことだ。「俺の上に誰がいる? 真理は何ものにも囚われはしない」という言葉は、知によって世界を支配しつくそうとする、みずから神たらんとするエイハブの烈しい意志を表わしている。神であれただの鯨であれ、その意志を挫くものにエイハブは戦いを挑む。要するに彼は、白鯨と戦うことによって、世界という不可解な組織に挑んでいるのだ(一方、『白鯨』の半分を占める、エイハブの物語とは表面上無関係に思える膨大な鯨学論議は、一見知の力で鯨=世界を覆いつくそうとする試みとも見える一方、白鯨の現実的・象徴的意義を限りなく拡散させることによって、世界の曖昧さ・不可知性を徹底的に深めているとも思える)。

だが『白鯨』のさらに複雑なところは、そうした曖昧さの核を、人間の自己自身のなかに据えている点だ。

そしてさらに深いのは、あのナルキッソスの物語の意味である。泉のなかに見た、彼を苦しめてやまぬ優しげな似姿を捉えられなかったゆえに、泉に飛び込み、溺れ死んだ者。だがそれと同じ似姿を、私たち自身、あらゆる川、あらゆる海で見る。それは捉え得ぬ生の幻の似姿だ。そしてこれこそすべての鍵なのだ。(『白鯨』一章)

「苦しめてやまぬ優しげな」という撞着語法。美少年ナルキッソスが水のなかに見たはずの自分自身の美しい顔は、ここでは捉えがたい、不可解なものとして書かれている。そして、自己の鏡像こそ「捉え得ぬ生の幻の似姿」であるにもかかわらず「すべての鍵」であるという、さらに大きな撞着。自己こそ、世界の不可解さの起点なのだ。

こうした、世界の不可解さというテーマは、ケン・キージーやジョーゼフ・ヘラーとほぼ同時期に作品を発表しはじめたトマス・ピンチョンにおいて大々的に復活する。たとえば『競売ナンバー49の叫び』(一九六六)。エディパ・マースはかつての愛人ピアス・インヴェラリティの遺言執行人に指定され、その任を務めるべくロサンゼルス近辺の町サン・ナルシソに赴く。エディパはさまざまな人々と出会うなかで、大規模な秘密の郵便組織〈ザ・トリステロ〉がアメリカ中に広がっている可能性に行きあたる。消音器をつけたラッパをマークとし、WASTEという符号(=We Await Silent Tristero's

Empire 我ら声なきトリステロ帝国の出現を待つ)を持つその組織は、まさに社会のWASTE《ゴミ》扱いされてきた無名の貧しい人たちによってずっと昔から使われてきたらしい。

だがエディパは、この組織の実在を確信することができない。トリステロは実在するのか。すべては彼女の幻覚なのか。それとも、ピアス・インヴェラリティが莫大な組織力と金を使って、エディパに発見させるべくそのような組織の存在を捏造《ねつぞう》したのか (Inverarity は inveracity [不実] につながる――だが何のために?)。それともそういうピアスの陰謀を彼女が幻視しているのか。ここでも何より曖昧なのは、世界ではなく、世界の曖昧さを見きわめようとする自己自身だ。サン・ナルシソという地名にも見られるとおり、ナルキッソス神話のエコーはここにも聞こえる。「捉え得ぬ生の幻の似姿」でありかつ「すべての鍵」である自己は、それ自身の正気を確かめようもない事態に追い込まれている。

*

一九七〇年代後半以降、実験的小説の全盛期が過ぎ、レイモンド・カーヴァーを中心とする静かなリアリズム小説が主流になってくると、まさに「無名の貧しい人たち」が小説の前面に出てくるようになる。だが彼らは、WASTEのような頼もしい組織とは無縁だ。カーヴァーの世界の人々はそれぞれ、孤島のようにバラバラに存在しているように思える。そして彼らには、(かりに彼らに戦う気力があったとしても)戦うべき組織の姿もよく見えていない。

サンディの夫は三ヵ月前に解雇されて以来ずっとソファの上にいた。三ヵ月前のその日、夫は青白い、怯えた顔をして、仕事道具を全部箱に入れて帰ってきた。「ハッピー・バレンタイン」と夫はサンディに言って、ハート型のキャンディの箱とジム・ビームの瓶をキッチンテーブルの上に置いた。そして帽子を脱いで、それもテーブルの上に置いた。「俺、今日クビになったんだ。なあ、これから俺たちどうなるのかな?」(「保存」『大聖堂』〔一九八三〕所収)

キャンディもジム・ビームのウィスキーも、二人の置かれた状況を的確に表わす表象ではもちろんないし、それを痛烈に皮肉る裏返しのシンボルでさえない。ただのよそよそしい物たちである(そもそもキャンディとウィスキー同士だってよそよそしい)。よそよそしい物たち、よそよそしい世界に囲まれて、人間は途方に暮れている。

これがたとえばプロレタリア小説であれば、資本家=悪人が労働者=善人を不当に解雇するという明快な図式があっただろうし、そこまで図式的でないにしても、これまでの小説であれば、いかなる主体がサンディの夫の首を切ったのか、あるいはいかなる理由で彼が首になったのか、いちおう示してはくれただろう。だがカーヴァーの小説では、そのような権力者の姿はいっさい見えない。同様に彼の小説には、大都市もほとんど出てこないし、登場人物がテレビを見ていてもそこに何が映っているかはまず語られない。要するに、カーヴァーの大半の作品の舞台であるアメリカの小さな町の人々の生活を外から規定しているはずの大きなシステムの姿は、ほとんど見えないままなのである。

にもかかわらず、突然の解雇といった、無根拠かつ必然的と言いたくなるような、いかにもカーヴァー的な出来事を通して、見えないシステムの網の存在を我々は確実に感じる。目には見えなくても、たしかにそこにある、善意はおそらくなさそうな、悪意か、もしくは無関心に染まったシステム。どうやらこれが、現代アメリカ文学における組織の典型的な貌《かお》であるように思える。

愛の伝達

「私は君のために苦しむ」とモリスは静かに言った。
フランクはテーブルの上にナイフを置いた。口が痛んだ。「どういうことです？」
「つまり、君は私のために苦しむんだ」——バーナード・マラマッド『アシスタント』

アメリカ文学において、父親を探しにいくというのはあまり得策ではない。トルーマン・カポーティ『遠い声　遠い部屋』（一九四八）のジョエル少年はまだ見ぬ父に会いに見知らぬ土地へ出かけていくが、やっと会えた父（と皆が言う人物）は廃人同様である。

父ではなく伯父だが、ナサニエル・ホーソーンの「ぼくの親戚モーリノー少佐」（一八三二）で血縁の庇護を求めて新大陸にやって来た若者ロビンは、伯父がリンチに遭っている現場に行きあたる。

現代に至り、ジョイス・キャロル・オーツの「モデル」（一九九二）のヒロインが出会う、ずっと昔に死んだと思っていた父親らしき人物は、どうやら殺人鬼らしい。

むろん、どの作品もそこから積極的・肯定的な意味を読みとることは可能だ。同性愛者としてのアイデンティティを発見したジョエル少年は、父と、父を求めていた無垢かつ無知だったかつての自分とをあとにするのだ、と論じることはできる。「ぼくの親戚モーリノー少佐」のロビンにしても、古い権力に頼るのはやめて（伯父の姓モーリノーはフランス風であり、「少佐」という階級名とあわせて古いヨーロッパの権力を象徴している）アメリカ流に一から自分を作っていくしかないことを悟るとも言える。殺人鬼かもしれぬ父親の車に乗り込む「モデル」のヒロインはハンドバッグにナイフを忍ばせている。一九九〇年代に生きる女の子ともなれば、暴力的な父権にあっさり屈する気はないのだ。

だがいずれにせよ、これらの主人公たちは、父親や父親的人物から何かを教わるわけではない。むしろ父たちは、その無力さや邪悪さによって、絶好の反面教師になっている。父からは学ぶもの・得るものがない（「モデル」の場合はむしろ害さえ受けかねない）のを知ることによって、彼らは苦い成長を余儀なくされるのだ。

アメリカ文学全体の傾向から見て、これは驚くにはあたらない。さんざん言われてきたように、元々アメリカ文学は、基本的に父親不在の文学でありつづけてきたからだ。『白鯨』のピークォッド号の乗組員たちは誰一人名字を持たず（エイハブ船長に実は妻と娘がいることは何度思い出しても驚きである）、父をめぐる話はほとんど出てこない。ハックルベリー・フィンもミシシッピの自然に逃げる際、女たちの支配する文明から逃れるだけでなく、荒くれの父親の暴力からも逃れる必要があった。イーディス・ウォートン『歓楽の家』（一九〇五）のリリー・バートが夫探しに奔走せねばならなかったのは元はといえば父が破産したからだし、ウィラ・キャザー『私のアントニーア』（一九一八）の移民一家の父親にしても、ヨーロッパ的洗練を身につけていても過酷なアメリカの自然と社会にあってはまったく無力だった。

一九五〇—六〇年代に活気のあったユダヤ系作家たちの作品がアメリカ文学に新しい流れをもたらしたのは、（1）他人に尽くす「義の人」を称揚した、（2）「父と子」を人間関係の基本に据えた、という二点においてである。むろんこの二点はつながっている。自分を犠牲にして他人に尽くす「義の人」の範は、多くの場合父親もしくは父親的人物であるからだ。義が父から子へ伝達される、という出来事がユダヤ系文学の根本にある。

何しろ自己実現・自己創造の本場であるからして、「義の人」はそれまでアメリカ文学ではあまり脚光を浴びてこなかったし、父親が不在だったり影が薄かったりしたことはいま述べたとおり。こうした点でそれまでのアメリカ文学とは異なるユダヤ系文学においては、「父探し」もいささか違った様相を帯びてくることになる。

バーナード・マラマッド『アシスタント』（一九五七）は、ユダヤ人でない一人の若者がユダヤ的な生き方を学び、文字どおりユダヤ人になる物語である。

イタリア系の孤児フランク・アルパインは、悪い仲間に誘われて、貧しいユダヤ系の老人モリス・ボーバーが経営する食料品店に強盗に入る。が、やがて店のまわりをうろつくようになり、強引に住み込んで献身的に働き、破産寸前の店を何とか維持しつづける。

なぜそんなことをするのか。ひとつにはモリスの娘ヘレンに惹かれているからであり、ラブストーリーの要素もこの小説の場合大事なのだが、やはりモリス本人に惹かれているという点が一番大きいように思える。フランクの性格は二つに引き裂かれている。強盗を働いたり犯罪者の生活を夢見たり、と、アメリカ流〈成功の夢〉のきわめてうらぶれたバージョンを抱え込んでいる面と、清貧と奉仕の精神で知られるアッシジの聖フランチェスコに惹かれたりする倫理的な面。モリスに惹かれるのは、言うまでもなくこの二つめの面ゆえである。どちらが勝つか？　名前からして明らかだろう。フランクはフランチェスコに通じ、アルパイン（Alpine＝アルプスの）は彼の志の高さを象徴している。

モリス自身もその清貧ぶりにおいて聖フランチェスコに通じることは明らかだが、アッシジの聖人とは違いモリスがひどくつらそうに生きていることをフランクは不思議に思う。ユダヤ人はなぜこんなにも苦しむのか、とフランクはモリスに問う。


「君、苦しむのは好きか？　彼らが苦しむのはユダヤ人だからさ」

「だからそういうことですよ、必要以上に苦しんでるみたいじゃないですか」

「生きていれば、苦しむんだ。他人より多く苦しむ人もいるが、好きでそうしてるわけじゃない。だが、ユダヤ人が掟のために苦しむのでなかったら、苦しみはまったく無駄になると思うね」

「あんたは何のために苦しむんです、モリス？」とフランクは言った。

「私は君のために苦しむ」とモリスは静かに言った。

フランクはテーブルの上にナイフを置いた。口が痛んだ。「どういうことです？」

「つまり、君は私のために苦しむんだ」

むろんこれで、「そうか、わかったぞ!」とフランクがたちまちユダヤ的真人間に変身したりはしない。彼はモリスの返答をどう捉えていいかわからず、ただジャガイモの皮をむきつづける(無理もない――モリスの答えはどれも答えになっているんだかいないんだかよくわからない。ほとんど禅問答である)。そもそもフランクは、なぜ自分がユダヤ人に惹かれるのかもはっきり自覚していない。

だがこの一節で、フランクが何かを教わろうとしていて、モリスが何かを伝えようとしていることは確かだ。フランクは無意識に父を探していて、モリスは無意識に息子を探している(息子イフレイムが幼くして死んだことを、モリスはいつまでも悲しんでいる)。そしてモリスは、象徴的な息子に、ユダヤ的な人間愛を伝授しようとしているのだ。

人間愛に関するフランクの学習能力は優秀とは言いがたく、その後も〈成功の夢〉うらぶれバージョンは再三顔を出し、店を助けながらも店の売り上げを盗んだり、ヘレンの入浴を盗み見たりしつづける。だがそれでも、フランクはモリスの教えを、いわば体で徐々に覚えていく。そしてモリスの死後、まさにモリスになる――それを象徴的に表わすために、モリスの葬式で墓穴を覗こうとしたフランクがバランスを失ってぶざまに穴に落ちてみんなをげんなりさせる、というおよそ洒落ていないハプニングを使うのが貧乏叙情の名士マラマッドらしい。

　こうしてフランクは、かつてモリスがそうしていたように、朝七時前にポーランド人女性に三セント分のパンを売り、モリスの友の電球行商人に紅茶を出してやったりしながら、およそ流行らない、しばしば牢獄にたとえられる店を一人守っている。その姿は、アメリカ文学の基本形でありつづけてきた、動くことを是とする姿勢の対極に見えるし、『アブサロム、アブサロム!』や『グレート・ギャツビー』で見たような〈自己創造のあかしとしての豪邸〉とも正反対であるように思える(「建てる」参照)。が、サトペンやギャツビーの豪邸がhouseではあってもhomeではなかったのとは違い、この暗くて寒くて貧乏臭い穴蔵が、ひょっとするとhomeになるかもしれない予感が結末には感じられる。

　午前中、客は六人しか来なかった。不安に陥らないようにと、目下読んでいる本をフランクは取り出した。それは聖書で、ところどころは、ここなんかは俺でも書けるんじゃないかなと思えた。

　読んでいると、快い思いが湧いてきた。茶色い襤褸《ぼろ》をまとった聖フランチェスコが踊るように森から出てきて、痩せこけた鳥が二羽、彼の頭上を飛びまわっていた。聖Fは食料品店の前で立ちどまり、ゴミバケツに手を入れて、[かつてフランクがヘレンに贈ったもののヘレンが捨ててしまった、手作りの]木のバラをつまみ上げた。彼が宙に投げ上げるとそれは本物の花に変わり、彼はそれを片手で受け止めた。お辞儀をしながら彼はその花を、たったいま家から出てきたヘレンに差し出した。「リトル・シスター、このバラをどうぞ——あなたのリトル・シスターです」。彼からヘレンはそれを受けとったが、それにはフランク・アルパインの愛と好意がこめられていた。

「聖F」という言い方や「彼」の多用によって、十三世紀の聖者と二十世紀の流れ者とがさりげなく重なりあう。マラマッド流貧乏叙情の、最良の一節である。実のところ、フランクがモリス流の人間愛を身につけることと、ヘレンの性的な愛を得ることは両立しない気もするが(一方はヘレンの父になることとであり、一方はヘレンの恋人・夫になることとである)、構わずそれらを並存させたところに、この結末のふくらみがある。

＊

知らずに父を探していた若者と、知らずに息子を探していた老人との物語は、まだ予断を許さないとはいえ、ひとまずラブストーリーのおまけもついて、貧しいながらもしみじみと終わった。

一方、べつに探していたわけでもないのに、象徴的な母と子が結果として出会ってしまう話として、南部カトリック女性作家フラナリー・オコナーの短篇「善人はなかなかいない」(一九五三)を挙げることができる。

いつもピリピリしている父親、異様に覇気のない母親、という親からして当然ながらきわめてしつけの悪い二人の子供、赤ん坊一人、そして年中陳腐な紋切型を白々しい明るさで連発している祖母。以上六人が、フロリダへ旅行に出かける。途中寄った食堂でも、祖母は食堂のおやじと「近ごろ世の中もせちがらくなりましたねえ」「善人はなかなかいませんよ」と紋切型の応酬をくり広げる。

オコナーの小説は、紋切型を使いまくる人々に満ちている。「善人はなかなかいない」「善良な田舎の人たち」などはタイトルからして紋切型である。基本的にそれは、人々が出来合いの言葉に頼りきっていて、自分で考えているつもりでも実は全然考えていない、という事態を表わしている。だからオコナーの小説のタイトルは、少なくとも表面的には作者のメッセージを伝えているのではまったくない。時代もほぼ同じでどちらも南部女性作家ということで、『心は孤独な狩人』(一九四〇)、『悲しき酒場の唄』

（一九五一）などで知られるカーソン・マッカラーズと同類に括られがちなオコナーだが、そうした点で両者はまるで似ていない。マッカラーズが「心は孤独な狩人」（The Heart Is a Lonely Hunter）と言うとき、彼女自身もその、よくいえば叙情的、悪くいえばやや感傷的なセンテンスに酔っている。だがオコナーは「善人はなかなかいない」（A Good Man Is Hard to Find）というタイトルに少しも酔ってはおらず、そういう紋切型を使って思考を停止している人々を揶揄《やゆ》しているのだ（ただし、往々にしてそれだけでは話が終わらず、より深い意味ではまさにそれが作者のメッセージと読めそうな気もするところが見事なのだが）。

そしてオコナーの小説の多くは、何か暴力的な出来事に遭遇することによって、人々がそうした紋切型の殻のなかから強引に投げ出され、世界に関する何らかの真実に直面させられる、という構図をとる。「善人はなかなかいない」の場合、一家はやがて、冒頭からずっと話題になっていた〈はみ出し者〉（The Misfit）なる男をリーダーとする脱獄囚一味と出会うことになる。すでに何人も人を殺している〈はみ出し者〉に向かって、祖母は例によって「あたしにはわかりますよ、あんたはいい人ですよ」「わかりますよ、あんたいい家の出なんでしょ」と紋切型をばらまいて事態に対処しようとする（ピリピリ屋の息子は息子で、「みんな、静かに！　ここは俺に任せろ！」と言いながら「いまにもスタートしようとしている走者の姿勢にかがみ込んだが、いっこうに動かなかった」。このあたり、オコナーの卓抜なコミック感覚の本領発揮というところ)。

が、〈はみ出し者〉に紋切型は通用しない。世間を包む紋切型からはみ出ているからこそ〈はみ出し者〉なのだ。部下たちは祖母を除く五人を連れ去り、残った〈はみ出し者〉と祖母の耳にじき銃声が聞こえてくる。そしてこの前後から、息子と〈はみ出し者〉とが微妙に重なりあってくる。連れ去られる息子に向かって祖母は「ベイリーや!」と叫ぶが、顔を上げると目に飛び込んでくるのは息子ではなく〈はみ出し者〉だし、上半身裸だった〈はみ出し者〉は撃ち殺されたベイリーのシャツを着るのだ。

祖母はやがて、「あんたはいい家の出」タイプの紋切型に加えて、「祈ればイエスさまが救ってくださるわよ」式の、宗教系の紋切型を連発しはじめる。と、前者型の寝言にはまるで反応しなかった〈はみ出し者〉も、後者に関しては大真面目に応え、イエスがすべての釣合いを狂わせたんだと主張する。

「死人を蘇《よみがえ》らせたのはイエスだけだ」。〈はみ出し者〉はさらに言った。「あんなことはすべきじゃなかったんだ。あれで全部の釣合いが狂っちまったんだ。もし本当にイエスが、言ったとおりのことをやったとすれば、人は何もかも捨ててイエスについていくしかない。もしやってないとすれば、残された少しの時間をせいぜい楽しむしかない——誰かを殺したり、そいつの家に火をつけたり、何か卑劣な真似をしてやるのさ。卑劣な真似しか楽しみはないんだ」。その声はほとんどうなり声に変わっていた。

「べつに死人を蘇らせたりしてないんじゃないかしら」と老女はもごもご言ったが、心は上の空で、ひどく頭がくらくらしたので、彼女は両膝を折って下に入れ、溝に座り込んだ。

〈はみ出し者〉の方がイエスの言葉をはるかに真剣に捉えていることは明らかだろう。聖書にあるとおり、「われ地に平和を投ぜんために来《きた》れりと思ふな、平和にあらず、反《かへ》つて剣《つるぎ》を投ぜん為に来れり。(……)我よりも父または母を愛する者は、我に相応《ふさは》しからず。我よりも息子または娘を愛する者は、我に相応しからず。又おのが十字架をとりて我に従はぬ者は、我に相応しからず」(マタイ伝一〇・三四、三七—三八、日本聖書協会文語訳)というイエスの言を文字どおりに受けとるなら、たしかに〈はみ出し者〉の言うとおりすべてをなげうってイエスに従うしかない。祖母のように、生半可な紋切型でくるんだ生ぬるい日常に浸っていることはできないはずだ。だが〈はみ出し者〉はイエスの奇蹟を確信することができない。自分の目でそれを見てはいないからだ。そのためイエスを信じることができず、ゆえにその全否定である犯罪に走る。要するに、〈はみ出し者〉は厳密に考えすぎて信じられず、祖母は中途半端にしか考えないので信じているつもりでいられるのだ（と同時に、ここで彼女が「ひどく頭がくらくら」しているのは、オコナーの登場人物をしばしば襲う啓示的瞬間への助走でもあるだろう）。

「俺はそこにいなかったから、蘇らせなかったとは言えない」と〈はみ出し者〉は言った。「そこにいられればよかったのに」と彼はげんこつで地面を叩いた。「いられなかったなんてひどい。いられたら、わかったのに。なあ、奥さん」と彼は高い声で言った。「そこにいたらわかっただろうし、俺だってこんなふうになってないはずなんだ」。彼の声はいまにも崩れそうに聞こえ、祖母の頭は一瞬冴えわたった。男の歪んだ顔が自分の顔のすぐ前にあり、いまにも泣き出しそうに見えて、彼女は呟いた——「まあ、あんたはあたしの赤ちゃんじゃないの。あんたはあたしの子供ですよ！」。彼女は手をのばし、彼の肩に手を触れた。〈はみ出し者〉はまるで蛇に嚙まれたように飛びのき、彼女の胸を三度撃った。それから銃を地面に下ろし、眼鏡を外して拭きはじめた。

「信じたいが証拠がない」「でも信じたい」という烈しいジレンマゆえに〈はみ出し者〉

のガードが崩れかけた瞬間、祖母の精神が飛躍を遂げる――「まあ、あんたはあたしの赤ちゃんじゃないの。あんたはあたしの子供ですよ！」（Why, you're one of my babies. You're one of my own children!）。ここで彼女は、作者自身の言を借りれば（一般に作者自身のパラフレーズほど疑わしいものはないが、オコナーの場合あいにく、どの批評家の言より雄弁であることが多いのだ）「限られたやり方ではあっても、目の前にいる男に対して自分は責任があり、いままでは単にぺちゃくちゃわめき散らしていただけの宗教的神秘の奥深くに根ざす絆で彼と結ばれていることを悟る」のであり、「この瞬間、彼女は正しいことをし、正しい身ぶりを行なう」（『秘義と習俗』一九六九）。紋切型を飛び越え、〈はみ出し者〉の懐疑をも飛び越え、ほとんど聖母マリアを連想させる〈母の愛〉を、祖母は言葉と動作で伝えている。

祖母が啓示的な叡智をここで得ているという読み方を、オコナーはあえて唯一の「正解」として提示しているわけだが、小説としての豊かさはむろん、表面的には、祖母がまさしく啓示を受けているのか、あるいは別の紋切型に移行しているだけなのか、にわかには見きわめがたいところにある。

たとえばここでの祖母の姿を、我々は視覚的に思い浮かべることができる。たぶんそれは、聖母の一般的イメージとはおよそ似ていない、ほとんどグロテスクな姿だろう。が、自分にとってもっとも切実なものの価値を検証するためにそれを極力歪めて描く作家もいる。少なくともオコナーはそういう作家だ（それにまた、「こんな醜いのは聖母じゃない」と我々が思うとすれば、「じゃあ美貌は聖母の本質なのか？」と自分に問わねばならないだろう）。

そしてもしここで、彼女がまさしく精神の飛躍を遂げているとすれば、「目の前にいる男に対して自分は責任がある」というのは、まさにモリス・ボーバーの「私は君のために苦しむ」という言葉につながる。伝えられているのはここでも、愛の叡智なのだ。

〈はみ出し者〉はそんな祖母を射殺してしまう。なぜか？　「蛇に噛まれたように飛びのき」という過剰な反応から見て、祖母の言動がこたえていることは間違いない。これは単なる拒否ではない。愛という言語にまったくなじみがなく生きてきたところへもってきて、自分が弱味をさらけ出した瞬間にいきなり〈母の愛〉が飛び込んできたものだから、とにかくびびってしまったにちがいない。反応は異様だが、メッセージは届いていると見るべきだろう。

フランクはモリスの言葉が瞬間的にはうまく捉えられなかったために、ひとまずはただジャガイモの皮をむきつづけた。〈はみ出し者〉はむしろ、祖母の言葉を瞬時に、あまりに鋭敏に理解してしまったために、発砲という過剰反応に出た。反応の仕方はまるで違っても、ここで生じているのはどちらも、象徴的な親と子の遭遇であり、親から子へ愛の叡智が伝わっているという事態なのだ。

象徴上の親子は、血縁上の親子よりどうやら伝達効率がよいらしい。ポール・オースターが『ムーン・パレス』(一九八九)で、象徴上の父と祖父に出会い何かを教わったと思ったら実はそれが血縁上の父と祖父でもあった、という設定にしたのは、べつにオースター流「偶然」を強引に活用したわけではなく、こうした事情を正しくわきまえていたからではないだろうか。

勤労

ウィスキーとビールが体からにじみ出て、わきの下から滝のように流れ落ちる。俺は荷物を十字架みたいに背負って車を運転し、雑誌を引っぱり出し、何千という手紙を配達する。よろよろと、太陽の脇に貼りつけられたみたいに。――チャールズ・ブコウスキー『ポスト・オフィス』

「建てる」の章でも触れたように、アメリカにあっては自分とは与えられるものではなく作るものである。そして、ベンジャミン・フランクリンの『フランクリン自伝』は、すでに述べたように、アメリカ文学史上もっともよく知られた自己創造マニュアルにほかならない。

蠟燭《ろうそく》・石鹼製造業者の倅《せがれ》に生まれた男が、勤勉と節制のおかげで、友人やライバルが酒や女に溺れたり怠惰だったり賭け事に手を出したり詩人になろうとしたり等々で次々脱落してバルバドスあたりに都落ちするか若死にするかしていくなか（当時バルバドスはまだ高級リゾート地なんかではない）、順調に成功の梯子をのぼっていく。善き十八世紀市民らしく、彼は神に感謝することも忘れない。

謙譲の念をこめて言っておきたいのだが、これまで述べたような過去の人生におけるわが幸福は、まさに神の恵み深い御心によるものであり、おかげで私も前述のような手段を与えられ、成功に供することができたのである。

だが、同じく善き十八世紀市民らしく、神に対する彼の感謝は、どうやらリップサービスの域を超えるものではないらしい。

こうした学習や読書の時間は、夜、仕事が終わったあとか、朝の仕事前か、もしくは日曜日であった。日曜日は何かと口実を作って印刷所に一人でいるように努め、皆と礼拝へ行くのはできるだけ避けた。父の下で暮らしていたころは教会行きをやかましく言われたものだし、私としてもいまだそれを義務と考えてはいたのだが、どうも時間の都合がつかないように思えたのである。

自己啓発に余念なき善き市民は、神に敬意を表しに行く暇はない。彼にとって神は、上司のようなものだ。とりあえずハンコはもらっとかないとまずいが、あとは敬して遠ざけておきたい存在。

むろん、マックス・ヴェーバーが『プロテスタンティズムの倫理と資本主義の精神』（一九〇五、改訂版一九二〇）で論じたとおり、フランクリンに代表されるような「資本主義の精神」は、「プロテスタンティズムの倫理」からの断絶と見るべきではない。まさにフランクリンを引きながらヴェーバーが述べているように、「自分の資本を増加させることを自己目的と考えるのが各人の義務だ」（大塚久雄訳）と捉える資本主義の精神は、出世欲とか名誉欲とかいったものでは説明しきれない。それは「倫理的な色彩をもつ生活の原則」であり、実はプロテスタンティズムの宗教的倫理が世俗的社会において変形を遂げたものと考えられる。断絶ではなく、むしろ連続を見るべきなのだ。

とはいえ、勤労に励み財をなすことが、信仰の証しの新たな形だとしても、信仰を証すべき相手はもはや、外にいる神ではなく、あくまで自分自身である。フランクリンにしても、ジェイ・ギャツビー、トマス・サトペンといったその他のアメリカ的自己実現の代表的人物にしても、『グレート・ギャツビー』の言葉を使えば「自分自身についてのプラトン的概念」(his Platonic conception of himself) を具現すべく、すなわちプラトン式に「あるべき自分」のイデアを自分で設定して (conception には「受胎」の意もある) 現実の自分をそのイデアまで高めるべく、意志の力を駆使するのだ。

かくして、おのれに対しておのれの証しを立てようと、若き日のフランクリンは「十三の徳目」を考案し、いっそうの自己陶冶をめざした。

一　節制　腹ふくるるほど食うなかれ。酔うほど飲むなかれ。
二　沈黙　他人にも己にも益なきことを語るなかれ。駄弁を弄するべからず。
三　規律　持ち物はすべて置き場を定めるべし。仕事はそれぞれ時を定めるべし。
四　決意　為すべきことを為す決意を持つべし。決意したることは必ず実行すべし。

……といったふうに簡単な説明つきで、以下、五　倹約／六　勤勉／七　誠実／八　正義／九　中庸／十　清潔／十一　平静／十二　純潔 (性交は健康もしくは子孫のため以外には滅多に行なうべからず……)／十三　謙虚 (イエスとソクラテスに倣《なら》うべし) までつづく。

全部についていっぺんに完璧をめざして虻蜂《あぶはち》取らずになってもいけないから、毎週いわば〈今週のスペシャル〉を決めてその徳に集中しつつ、日々どの項目を守れなかったかをチェックしていく。これに毎日の時間表が加わって(五時起床、「今日はいかなる善を為すべきか」を問うことにはじまり、夜は「今日はいかなる善を為したか」を問うて十時就寝)、おのれのプラトン的概念へと一歩一歩近づいていくのだ。
　これをのちに真似たのが、フィッツジェラルド『グレート・ギャツビー』の主人公ジェイ・ギャツビーである。ギャツビーの葬儀の日、語り手ニックは、若きジミー・ギャッツが書いた自己管理表を父親から見せられる。

予定表　一九〇六年九月十二日

起床	午前六時
ダンベル運動と壁登り	六時一五分—六時三〇分
電気等を勉強	七時一五分—八時一五分
仕事	午前八時三〇分—午後四時三〇分
野球その他のスポーツ	四時三〇分—五時
雄弁術、身のこなしの練習	五時—六時
必要な発明の勉強	七時—九時

日々の決意

シャフターズや（判読不能）で時間を無駄にしない
喫煙、嚙み煙草をやめる
一日おきに入浴
週一冊ためになる本か雑誌を読む
週五ドル（線で引いて消してある）三ドル貯める
両親をもっと敬う

フランクリン的な自己創造の意志の強烈さを残しつつも、同時にそれがだいぶ胡散臭くもなっていて（そもそもこの「予定表」、『ホパロング・キャシディ』なる、「ためになる本」には入りそうもない人気カウボーイ小説のうしろの白ページに書いてあったのだ）、いかにも『グレート・ギャツビー』らしく、肯定と否定、共感と嘲笑とが絶妙にブレンドされている。

一方、こうやって自己を管理し、制御し、抑制するプロテスタント勤労精神に猛反発したのがD・H・ロレンスである。『アメリカ古典文学研究』（一九二三）第二章「べンジャミン・フランクリン」のなかで、ロレンスは口をきわめてフランクリンを罵る。

人間は道徳的な動物だ。よろしい。私は道徳的な動物だ。これからもそうあるつもりだ。ベンジャミンが望むような、有徳のちっぽけな自動人形などに変えられる気はない。「これはよい、あれは悪い。小さな把手を回して、善の蛇口から水を流せ」とベンジャミンはのたまい、アメリカ中がそれに合わせる。「だがまず、いつも悪い蛇口を回している野蛮人どもを絶滅しよう」

私は道徳的な動物だ。だが道徳的な機械ではない。把手やらレバーやらの小さなセットで動くのではない。節制－沈黙－規律－決意－倹約－勤勉－誠実－正義－中庸－清潔－平静－純潔－謙虚と並んだ鍵盤などに動かされはしない。私は断じて、道徳屋ベンジャミンにメロディを引っぱり出される自動ピアノなんかではない。

こうしてロレンスは、十三の徳目DHバージョンを提示する。

一　節制　酒神《バッコス》とともに食べ、飲み、あるいはイエスとともに乾いたパンを齧《かじ》り、いずれかの神なき場で食すべからず。

二　沈黙　何も言うことなきときは黙すべし。純なる情熱に動かされしときは言うべきことを言うべし、それも熱く言うべし。
三　規律　人は己のなかに宿る神々に責あり、またその神々が表に現われたる者たちに責あることを知るべし。神々に従いて己に優る者、劣る者を見分けるべし。これ、あらゆる規律の根本なり。
四　決意　己のもっとも深き衝動に従い、小さきものを大いなるものの犠牲に供す決意を持つべし。避けがたきときは殺し、同じく避けがたきときは殺されるべし。その「避けがたき」は己に宿る神々から、もしくは己が聖霊の存在を認める者たちから発せらるるものなり。(……)

一口で言えば、フランクリンが理性によって自己を制御しようとするのに対し、ロレンスは理性のたがを取り払って自己を解放しようとする。一方は意識が主人であり、一方は無意識（ロレンスの言い方では「血の意識」）こそ主人である。フランクリンが近代人の典型だとすれば、ロレンスは近代から脱しようとしている。

だが、一歩引いて考えるなら、「自己実現をめざす求道的姿勢」という意味ではフランクリンもロレンスも似たようなものだ。ロレンスにしたところで、フランクリンのような自己統制とは違うにせよ、自然流に、ありのままの自分でいられるわけではない。早い話、どちらも説教臭い。対極にあるものはしばしば通底するが、これもその一例ではないだろうか。

　ロレンスは子供のころ、フランクリンの作った教訓付き暦（有名な『貧しいリチャードの暦』）に親しんだという。当時の自分が、「卵から孵《かえ》る前に雛を数える女を偉そうにあざ笑い、正直は最良の方策と、これまたやや偉そうに信じて疑わなかった」ことを彼は告白している。「たぶん私は、いまだに貧しいリチャードの金言を乗り越えていないのだ」。フランクリン的自己改造術のまさしく正反対を提示せずにいられなかったところに、フランクリン的なものをロレンスがいまだに「乗り越えていない」ことの表われを見てよいかもしれない。

　こうしたロレンスの、ひょっとすると近親憎悪的な罵倒よりも、フランクリン的自己創造の真の対極物は、むしろ次のような、フランクリンなどおよそ念頭になさそうな小品に求めるべきではないだろうか。

私は誰でもない！　あなたは誰？
あなたも——誰でもないの？
じゃあ私たち二人一組！

人に言っちゃ駄目！　宣伝されるから――ね！

なんてつまらない――誰かになるなんて！
なんて公的な――蛙みたいに――
自分の名前を――永い六月のあいだ――
聞き惚れる沼に告げるなんて！

生前は作品もほとんど人目に触れず、「公的」にもならず「名前」を世に告げることもなくマサチューセッツ州アマーストでひっそり暮らしたエミリー・ディキンソンが、一八六一年ころ書いた詩である。
「誰でもない」「誰か」と訳した"Nobody""Somebody"はそれぞれ、「取るに足らぬ人間」「ひとかどの人間」という意味でもある。誰かであらねばならない、という気負いからこの語り手は自由だ。フランクリンのような立身出世といった世俗的な形であれ、エマソンやホイットマンのような霊的・詩的な形であれ、アメリカ男性文学を貫く自己拡張の精神に、この詩はさりげなく冷や水を浴びせている。

＊

フランクリンはおのれの勤労ぶりを自伝で詳述したが、その後のアメリカ文学で「仕事」が前面に出てくることはあまりない。スタッズ・ターケルがインタビュー集『仕事！』（一九七二）で述べたように、大半の人間が生活の大半の時間を仕事に費やして生きているにもかかわらず、ほとんどの小説や映画は、仕事以外のところに物語を見出す。たとえばホーソーンの「ウェイクフィールド」（一八三五）の、妻を驚かせてやろうとして隣の通りにアパートを借り、結局ずるずる二十年家を離れている主人公は、その間いったいどうやって生計を立てているのか、我々はまったく知らされない（「ウェイクフィールド」の二十世紀バージョンともいうべきポール・オースター『幽霊たち』〔一九八六〕では、さすがにこの点は変更され、主人公ブルーには探偵という職業が与えられている）。

芸術家の苦悩とか、苛酷な大自然と戦う農民のヒロイズムとかいった華々しい話ではなく、単に「職場」という言葉で片付けることができてしまうような場――要するに、現実にほとんどの人が仕事に携わっている場――を詳しく書いた小説はそう多くない。現代における数少ない例外は、意外にも、最後の酔いどれ無頼漢作家というイメージのあるチャールズ・ブコウスキーの諸作品ではないだろうか。

ウィスキーとビールが体からにじみ出て、わきの下から滝のように流れ落ちる。俺は荷物を十字架みたいに背負って車を運転し、雑誌を引っぱり出し、何千という手紙を配達する。よろよろと、太陽の脇に貼りつけられたみたいに。

どこかのおばさんが俺に向かってわめいている——

「郵便屋さん！　郵便屋さん！　この郵便、ここじゃありませんよ！」

見ると相手は坂の一ブロック下にいる。こっちはただでさえ予定より遅れてるんだ。

「奥さん、おたくの郵便受けの外に置いといてください！　明日取りにいきますから！」

「駄目！　駄目！　いま持っていってちょうだい！」

おばさんはそれを空高く振り回している。

「奥さん！」

「取りにきて！　ここじゃないのよ！」

やれやれ。

鞄をどさっと下ろす。帽子も脱いで、芝生の上に放り投げた。帽子が車道に転がっていく。放っておいて、おばさんの方に坂を下りていった。まるまる半ブロックの距離。

歩いていって、おばさんの手からそいつをひったくり、回れ右して、戻っていった。

何だこれ、広告じゃないか！　第三種郵便だ。衣料半額セールか何かの。

車道から帽子を拾い上げて、頭に載せた。鞄を背骨の左にかついで、また先へ進んだ。気温は三十五度。

一軒の家の前を過ぎると、おばさんが家から飛び出して、追いかけてきた。

「郵便屋さん！　郵便屋さん！　あたし宛の手紙は？」

「奥さん、俺がおたくの郵便受けに何も入れなかったんだったら、奥さん宛の郵便はないってことです」

「でもわかってるのよ、手紙が来るのが！」

「どうしてわかるんです？」

「姉が電話してきて、手紙を書くわって言ったんですもの」

「奥さん、手紙なんかないですよ」

「わかってるのよ、あるのは！　わかってるのよ！　そこにあるのよ！」

おばさんは手紙を一束、ひったくろうとした。

「奥さん、合衆国郵便に触らんでくださいよ！　今日はあんた宛の郵便はないんだよ！」

俺は回れ右して、立ち去った。

「わかってるんだからね、あたしの手紙があるって！」

また違うおばさんが、自宅の玄関ポーチに立っていた。

「今日は遅いのね」

「ええ」

「いつもの人、どうしたの？」

「癌で死にかけてるんです」

「癌で死にかけてる？　ハロルドが癌で死にかけてるの？」

「そうです」

俺はおばさんに郵便を渡した。

「請求書！　請求書！　請求書！」おばさんは金切り声を上げた。「あんた、こんなのしか持ってこれないいの？　請求書ばっかりなの？」

「ええ、奥さん。こんなのしか持ってこれないんです」

俺は回れ右して、先へ進んだ。（『ポスト・オフィス』一九七一）

作者ブコウスキーの分身とおぼしきヘンリー・チナスキーは、ダイレクトメールや請求書ばかりを配達する仕事に何の意義も感じていない。だがその反面、メルヴィルの「代書人バートルビー」（一八五三）のようにあらゆる仕事を拒否しついには食べることも拒否して餓死してしまう、なんてラディカルな真似に走ったりもせず、上司に罵倒され何度もトラブルを起こしながらも一応最低限の仕事をこなしている。『勝手に生きろ！』と邦題のついた『何でも屋』（*Factotum*, 1975）でも似たようなものだ。

フランクリンも若いころ、印刷所の経営を任されたときに「自分はまったくの factotum であった」と言っているが、ブコウスキーの factotum とはエラい違いである。実際、フランクリンの自伝において酒や女に溺れたり怠惰だったり賭け事に手を出したり詩人になろうとしたりして脱落していく連中の遠い子孫を選ぶとすれば、ブコウスキー＝チナスキーこそまっさきに選ばれるべきだろう。何しろ酒好きで女好き、もちろん怠惰、競馬もやるし詩だってちゃんと書く。「十三の徳目」をブコウスキー＝チナスキーが自己チェックしたら、たぶんほとんど全部の項に毎日バツがつきっ放しだろう。

たしかに、ブコウスキー＝チナスキーの不徹底にぐうたらで中途半端に怠惰な姿勢には、ある種の倫理性が感じられないでもない。ロレンスの場合と同じように、ここにも「対極物の通底」を見るべきなのかもしれない。が、むしろ、その不徹底ぶり、中途半端さにおいて、ブコウスキーもまた、ディキンソンのごとく、フランクリン的自己実現道に冷や水を浴びせていると考えることも可能ではないか。少なくとも、そう考えた方が面白いことは間違いない——自由奔放な同時代詩人ホイットマンは読んだかと訊かれて「あの方は上品でないとうかがっています」と答えたというディキンソンが、不潔で酒臭くて見るからにスケベそうで全然上品でないブコウスキーと並んだらどういう顔をしたか、その表情を想像するためだけでも。

親子

腐った窓枠に囲まれて、窓はひしゃげていた。割れたガラスがぎざぎざに突き出ていた。残ったガラスが、光を浴びて、奇妙なカーブを描いて真珠色に垂れている。何かが動いて、それで私にもわかった。やっぱりそうだった——私もＪＴと同じくらい狂っているのだ。

——ジェーン・アン・フィリップス「一九三四年」

いつにも増して無謀な一般論からはじめよう。アメリカ文学において、父と息子の物語とは基本的に、息子が父の圧制を乗り越える（あるいは乗り越えそこなう）話か、息子が父から叡智を伝授される話である。

母と息子の物語は、母の干渉・過保護に息子が反逆する話か、諦念とともにそれを容認する話である。

母と娘の物語は、ある時点に至るとある種のライバル関係か、もしくは同胞関係が生じる話である。

そして父と娘の話は、これが一番迷うところなのだが、父と息子の物語同様、娘が父の圧制を乗り越えるか乗り越えそこなう話か（ただし乗り越えるにしてもその乗り越え方は父と息子に較べて概してもっと屈折している）、あるいは逆に、娘が父の無力さに、さらには狂気に、共感する話であるように思える。

息子が父を乗り越える話については、これまで述べてきたようにアメリカ文学は――特に白人男性作家による文学は――基本的に親なんかいないことにして生きる人間の話が多いので、多くの作品の前提として行間に隠れていると考えることができる。ここでは典型から少しずれた、かろうじて父を乗り越える例として、ヘンリー・ロス『コール・イット・スリープ』（一九三四）を挙げておきたい。

舞台は二十世紀初頭のニューヨークの貧しい地域。喧嘩ばかりしていて職を転々としている暴力的な父親、優しくて教養もあるが英語がろくに喋れずアメリカではまったく無力な母親、そして、自分の子ではないのではと疑う父からは冷たく扱われ、もっぱら母親を慕う息子デイヴィッドの三人から成るユダヤ系の家族である。父親はことあるごとに息子につらく当たるが、結末に至り、息子が危うく感電死しかけて、さすがに反省する。

父の鈍い、弾みのない足音が台所の床を横切るのにデイヴィッドは耳を澄ませた。ドアが開き、閉じた。漠然とした、かすかな憐れみの念が胸のうちで、輪を描いてほぐれていく煙のように立ちのぼり、彼のなかで、冬の夜中にふと目をさましてあの鈍い足音が階段を下りていくのを聞くときに時おり感じる物憂い哀しみのように、うっすらと広がっていった。

父の反省がその後もつづくかどうかはわからない。明日になったら元の木阿弥になっているかもしれない。だがいずれにせよ、いわば無駄に終わるかもしれない予習としてではあれ、息子はすでに父を許すことを学びはじめている。

息子が父から叡智を伝授される話は、「愛の伝達」で見たマラマッド『アシスタント』が最良の例だろうが、もう少し微妙なケースとして、ヘミングウェイの短篇「インディアン村」(一九二五)はどうだろう。

医師である父親が、出産に立ち会いに、息子のニックを連れてインディアン村へ出かけていく。ろくに道具もない帝王切開に女はひどく苦しむが、手術は何とか終わり、子供も生まれる。が、妻の苦しみに耐えられなかった夫は、手術のさなかに喉を剃刀でかき切っていた……。生命の誕生について息子を教育し、ついでに自分の偉さも見せつけようとした父親の目論見は見事に外れたわけである。死に初めて触れた息子ニックは、お産はいつもあんなに大変なのか、自殺する男はたくさんいるのか、と父親に問う。

「パパ、死ぬのはつらい?」

「いや、どうってことないと思うよ、ニック。場合によるがな」

二人はボートに座っていた。ニックが船尾にいて、父親は漕いでいた。太陽が山の上にのぼってきていた。バスが一匹跳び上がって、水面に輪を描いた。ニックは片手で水をたどった。肌寒い空気のなかで、水は温かく感じられた。

朝早い湖で、父親の漕ぐボートの船尾に座りながら、僕は絶対に死なないと彼は確信した。

この一節とともに作品は終わる。どう読むか迷うところだが、〈死を目の当たりにしても「僕にはパパがいるから大丈夫だ」とあくまで勘違いしている〉と読むこともできるだろうが、語り手はニックに対してそこまで辛辣《しんらつ》ではない気がする。むしろ、自分の世界ががらりと変わってしまったことへの動揺を鎮めるために、「パパがいるから大丈夫だ」と自分に言い聞かせているいると見た方がテクストのトーンに即しているように思える。そして、さらにもう少しずらして、〈さっき見た死と、いまここで感じている生命との圧倒的な隔たりが、このような言葉に形を変えて表われている〉と読むことも可能だと思う。死の現実を学ぶと同時に、それとの落差から生じる生の実感をも少年は学んでいるように思える。父の教育目的は果たされなかったわけだが、それより高次元の教えを、息子は結果的に学びとっているのではないか。

*

一方、干渉的で過保護な母親といえば、ユダヤ人の母親のステレオタイプ的イメージである。それをとことん戯画化したのが、フィリップ・ロスの『ポートノイの不満』(一九六九)。

口を開けてごらん。お前の喉、どうして赤いの? お前、頭が痛いのを母さんに隠してるのかい? 首を動かすところを母さんに見せるまで野球なんか行っちゃだめですよ。アレックス、お前、首が凝ってるのかい? じゃあどうしてそんなふうに動かすんだい? お前、吐き気がするみたいな食べ方してるじゃないか、吐き気がするのかい? そうですよ、お前、吐き気がするみたいに食べてますよ。あの校庭の水飲み場で飲むのはやめてちょうだい。喉が渇いたらうちへ帰ってくるまで我慢なさい。お前、喉が腫れてるんだね、そうだね? 呑み込み方でわかるんだよ……

エトセトラ、エトセトラ。

こういう母親は、暴君の父親のように「乗り越える」ものではどうやらなさそうである。日本でも同じだろうが、西洋社会では、息子がやがて社会的権力を獲得し、母親をいわば許容する立場になっていくのが基本形だからだ。「父殺し」といえば心理学の定番的シナリオだが、「母殺し」では話にならない。テネシー・ウィリアムズの戯曲『ガラスの動物園』（一九四五）のように、口うるさい母親に息子がほとんど押しつぶされるのなら「話になる」けれども、母を乗り越えたところで物語にはなりにくいのである。

これが母と娘では、また話は変わってくる。

母さんなんか死んじゃえばいい、と思ったせいで母さんがひどく傷ついたのを見たとたん、あたしは後悔してたくさんの涙を流し、あたしのまわりの地面がびしょ濡れになった。あたしが母さんの前に立って許しを乞い、一生懸命あやまったので、母さんは哀れに思ってあたしの顔にキスしてくれて、あたしの頭を自分の胸に載せて休ませた。そして両腕をあたしの体に巻きつけ、あたしの頭をもっともっと自分の胸に引き寄せたので、しまいにあたしは息が詰まってしまった。あたしは母さんの胸の上で、息もつけずに、数えようもないほどの時間横たわり、やがてある日、あたしにには教えてくれない理由で、母さんはあたしを揺すってあたしを出し、木の下に立たせたので、あたしはまた息ができるようになった。あたしは母さんにさっと鋭い視線を送り、「さて」と一人思った。とたんにあたしの胸が大きくなりはじめ、はじめは小さな丘で、あいだに小さな柔らかい場所が残り、万一必要になったらあたしは今後そこに自分の頭を休ませればよかった。いまや母さんとあたしのあいだにはあたしが流した涙が広がり、あたしは石ころを集め涙を囲い込んで小さな池を作った。池の水はどんより黒くて、毒があり、名前もない無脊椎動物以外そこでは生きられなかった。母さんとあたしはいまやたがいに相手を用心深く見張り、つねに愛情と好意の言葉や行ないを浴びせあうよう努めた。

——ジャメイカ・キンケイド「あたしの母さん」(『川底に』〔一九八三〕所収)の冒頭である。前半から読みとれる、娘側の反発と依存、母側の過剰な保護と支配という図式は、おそらく母と息子のあいだでも成り立ちうるだろう(もっともそこには、近親相姦的な危うさが生じることになるだろうが)。が、後半の、「あたし」の胸が大きくなりはじめ、「たがいに相手を用心深く見張」るようになるあたりには、母と息子のあいだではありえない、ややこしい同胞関係が表われている。

＊

娘が母に対して抱く反発と依存は、やがて用心深い同盟関係に転じうるが、父に対する娘の反発と依存はそうはいかない。つきつめていけばそれは一種の父殺しか、あるいはその挫折にならざるをえないのではないか。

あなたはだめ、あなたはもう
だめ、黒い靴
そのなかで私は足みたいに
三十年生きてきた、みじめに青白く、
ほとんど息もくしゃみもする勇気さえなく。

ダディ、私はあなたを殺すしかなかった。
私が何もできないうちにあなたは死んだ――
大理石のように重い、神の詰まった袋、
ぞっとする彫像　足指のひとつは灰色

シスコのアザラシみたいに大きく

――シルヴィア・プラスの詩「ダディ」（一九六二）の冒頭。詩はやがて「ダディ」がドイツ系であることに触れ、「私」は自分を収容所で殺されたユダヤ人にたとえ、「ダディ」をヒトラーに、さらには吸血鬼にたとえて、こう終わる。

あなたの太った黒い心臓には杭が打たれ
村人たちははじめからあなたが嫌いだった。
みんなあなたの上で踊って跳ねてる。
それがあなただってことはみんな知っていた。
ダディ、ダディ、人でなし、これでおしまいよ。

　こうして父＝ヒトラー＝吸血鬼殺しは完了する。もちろん、娘の気持ちがすっきり晴れているわけでないことは明らかだ（晴れていれば、最終行でわざわざ「人でなし」[you bastard]と罵る必要はあるまい）。結局のところ、父への烈しい憤りは、いくら言葉を尽くして父殺しを敢行しても解消しえない。そのことがあらわになっているからこそ、この詩にはインパクトがある。

「ダディ」はきわめて自伝的な詩であり、「私が何もできないうちにあなたは死んだ」というのはシルヴィア・プラスが八歳のときに父が糖尿病で死んだことに通じる（足指が灰色になるのも糖尿病の症状）。したがってこの詩は、父が生前圧制的だった上に、自分がまだ幼いうちにいなくなってしまったことに対する憤りを伝えてもいる。その意味でこれは、屈折した愛の詩でさえある。さらに、この「あなた」には、父親のみならず夫テッド・ヒューズも重ねあわされていることはしばしば指摘されるとおりである（プラスがこの詩を書く直前、ヒューズは彼女を捨てて別の女性のもとに走っていた）。そうした伝記的事実を考えると、この詩の読み方もある程度絞られてこざるをえない。だが、そういう予備知識なしで読んでも――いや、むしろなしで読む方が――親への、かならずしも理知的でない、だがそれゆえに誰でもある程度覚えのある複雑な怨念を、なかば幼児的な声で投げつけた詩として、読み手の自由な読み込みを許す奥行きが生じうると思う。

「ダディ」の父親が権力の爪あとを残して、こっちが戦おうと思ったときにはとっくに消えている父だとすれば、ジェーン・アン・フィリップスの短篇「一九三四年」の父親は、権力を失ったあともぶざまに生きつづけている父である。大学で動物学とドイツ語を教え、いわば知の権威だったプラスの父親とは対照的に、落伍者である「一九三四年」の父親は、娘を狂気の側に引き込む役割を果たす。

時は大恐慌のさなか、七歳になる「私」の父親JTは、商売に失敗して財産を失って以来気が狂ってしまい、いまも自分のことを裕福な製材所経営者だと思いこんでいる。そして「私」のことを息子と思ってフランクと呼び(本当はフランシーヌ)、共同経営者のように扱う。恐慌で社会的に抹殺され、妄想のなかに生きている無害なJTを、人々は一種町の名物のように優しく見ている。だがJTの狂気はますます高じ、とうとうある日、夜明け前にフランク/フランシーヌを連れて、かつて自分のものだった製材所に向かう。

「フランク」とJTはどなった。「急げ、時間がないぞ」

製材所はタッカー山の向こう側にあった。私たちは歩いた。あたりが明るくなってきた。靄《もや》が川から立ちのぼり、何列も並ぶ空っぽの小屋は宙に浮かんで見えた。

「ほら、あそこ」とJTは言った。「この時間にはいつも来てるんだ」

「誰が、パパ?　誰が来てるの?」

「奴らだよ、お前《ボーイ》。奴らをごらん、あいつらはお前のこと知ってるんだよ」

ＪＴは片腕を小屋の方角に上げた。手がだらんと、ゆがんで垂れていた。

「どこ、パパ？」

「窓だよ、フランク。窓をごらん」

腐った窓枠に囲まれて、窓はひしゃげていた。割れたガラスがぎざぎざに突き出ていた。残ったガラスが、光を浴びて、奇妙なカーブを描いて真珠色に垂れている。何かが動いて、それで私にもわかった。やっぱりそうだった――私もＪＴと同じくらい狂っているのだ。顔たちが、水の中から上がってくるみたいにゆらめいた。どこかそばにある、急に見えるようになった場所から彼らは浮かび上がってきた。ぼやけた顔立ちはみな同じ表情をしていて、彼らはたがいに混じりあったり離れたりしていた。風が吹き荒れ、何と言っているのかわからない音をささやいた。ささやきはもっと聞こえ、どんどん大きくなって……やがて彼らは一つの音を立てた。

「フランシーヌ」と彼らは言った。「フランシーヌ」

「フランシーヌ。フランシーヌ、こっちへおいで。こっちだよ」

森の外れに母さんがいるのが見えた。ＪＴの古いライフルを持って、ＪＴに向けて構えていた。（『ブラック・チケッツ』〔一九七九〕所収）

「フランシーヌ。フランシーヌ、こっちへおいで。こっちだよ」は「彼ら」が言っているのか、それとも母親が言っているのか。この決めがたさが巧みだが、いずれにせよ、狂気の父親に見えて正気の母親に見えないものが、娘には見えているという点は間違いない。

同様の例はほかにも思いつく。「二十世紀の地図」を二十年間守りつづけて悲惨な人生を送ってきた父親の狂気を優しい眼差しで見つめる、スティーヴ・エリクソン『黒い時計の旅』(一九八九)のヒロイン、デーニア。酒飲みで博打打ちだった父の死を機に、もうこれからは踊り子や酔っ払いや博打打ちや馬道楽の世界を否定するのはよそう、父さんの世界を今度は私が生きるんだと決意する、テス・ギャラガー「馬を愛した男」(『馬を愛した男』[一九八六]所収)のヒロイン。父の狂気を理解するのは、息子ではなく娘こそふさわしい。おそらく息子の場合、自分自身の未来像をあまりに直接的に見てしまうために、父の破滅や狂気に共感する余裕を持ちにくいのだろう。社会的成功者とならねばならない圧力を免れているゆえに(あるいは、成功者となる道から排除されているゆえに、と言うべきか)、娘は父の敗残を憐れみの目で見ることができるのだ。

中国系作家マキシーン・ホン・キングストンの「アメリカの父」の父親も、同国人にだまされて洗濯屋を失い、賭博場の下働きをして食いつないでいる。だがこの父親、現実的な母親とは対照的に、アメリカ的成功に至る現実的回路とは別の、異次元に通じる回路を持っているらしい。娘にはそれがわかる。

父さんはほかの誰も行かないような場所に行く力を持っていて、そこを自分だけの場所にすることができた。そういう場所には、父さんの匂いが染みついていた。父さんはいろんな宝物を持っていたけど――一九三九年万国博記念の銅の灰皿とか、パーカー51型万年筆とか――そういう宝物を持っているのと同じような感じで、自分だけの場所を持っていたのだ。父さんの戸棚や机のなかを探検しながら、あたしは思った。ここは父親というものの場なんだ、一人の父親がこの場に属しているんだ、と。

父さんだけの場所のひとつに、穴蔵があった。穴蔵は網戸によくフクロウがぶつかる家の地下にあった。(……)ある日あたしが家の裏手に回ってみると、穴蔵の戸が開いているのが見えた。ワイシャツを着た父さんの背中が闇のなかで動いていた。(……)あたしは穴蔵に忍び込んで、箱の陰に隠れた。父さんは底なし井戸のふたを持ち上げた。父さんが止める間もなく、あたしは隠れ場所から飛び出してそれを見た――きらきら光る、黒い水がいっぱい入った大きな穴で、まるで人の目みたいに生きてうごめいていた。深い深い、生きた穴。(『アメリカの中国人』[一九八〇]所収)

こうやって父親は、異界とゆるやかにつながり、と同時に、万博灰皿や万年筆を介してアメリカ的繁栄ともゆるやかにつながっている。もちろん、生活は楽ではない。中国系アメリカ人として差別されている上に、一家は同国人にもだまされて店を奪われ、家を買おうとするたびにいつも横取りされてしまう。客観的に見れば、『コール・イット・スリープ』の父親と同じくらい世間に敵意を抱いてもおかしくはないのだ。だが、おそらくは異界ともメインストリームともほどほどに結びついているおかげで——というふうに因果関係を定めてしまうのは、非西洋的に因果関係のゆるやかなこの小説に実はふさわしくないのだが——この父親はいつもどこかのほほんとしている。賭博場で何度逮捕されても、そのたびに違う偽名を思いつき、刑事にわいろを渡して帰ってくる(「白人の刑事には中国人の名前も顔もまるっきり見分けがつかないのさ」)。

やがて賭博場が閉鎖され、完全な失業に追いやられると、父はさすがにしばらく茫然自失の状態に陥るが、やがてまた唐突に復活し、洗濯屋を開く。そして最後に、地下的な異界への回路と、アメリカ的現実への回路とを豊かに結びつけるかのように、父は木を植える。

父さんはいろんな種類のヒョウタン、エンドウ、インゲン、メロン、キャベツを植えた。多年生の果物もいっぱい植えた――ミカン、オレンジ、グレープフルーツ、アーモンド、ザクロ、リンゴ、クロイチジク、シロイチジク。そして果物の種もまいた――今度もビワ、それにいろんな品種の桃、アプリコット、プラム。何年もかかってはじめて実を結ぶ木々の種を父さんはまいたのだ。

そうした父親の変貌には、いかなる因果的説明も付されない。もちろん父自身、みずからの変化に何の意味づけもしない。幸運とか不運とかいった概念さえそこには出てこない。彼はただ復活するのだ。西洋的な小説観に囚われているかぎり書きにくいにちがいない、素敵に因果関係を欠いた物語を語ることによって、娘はそんな父への賛歌を謳っている。

ラジオ

祖母の台所のテーブルには、黄色いプラスチック製のラジオがあった。だいたいいつもポルカ専門の局に合わせてあったが、時おりダイヤルを目盛り半分くらい合わせそこなって、代わりにギリシャ語の局や、スペイン語、ウクライナ語の局が聞こえてきた。
――スチュアート・ダイベック「ペット・ミルク」

第二次大戦後のアメリカに急速に広がった「郊外」に住む人々の心情をいち早く捉えた作家ジョン・チーヴァーに、「巨大なラジオ」という短篇がある。発表は一九四七年、主人公はマンハッタンに住む三十代なかばの白人夫婦である。

ジムとアイリーンのウェスコット夫妻は、収入、仕事、地位など、どれをとっても、大学の同窓会報の統計報告で述べられている平均達成度にひとまず達しているように見えるタイプの夫婦であった。幼い子供が二人いて、結婚して九年になり、サットン・プレイス近辺のアパートメントの十二階に住んで、一年平均一〇・三回芝居を観にいき、いつの日かウェストチェスターに住みたいと思っていた。

サットン・プレイスはマンハッタンのなかでもとりわけ高級な住宅地。ジムとアイリーンはその近辺のアパートメント（日本語の「アパート」より「マンション」に近い）に住んでいて、メイドも一人いるというから、大金持ちではないにせよ暮らし向きは決して悪くない。彼らがいつの日か住みたいと思っているウェストチェスターは、ニューヨーク郊外の郡名で、これまた高級なイメージがある。郊外の一等地に移り住んだアッパーミドル・クラス（中流の上）の人々のあいだに見られる罪悪感を指して「スカーズデイル・シンドローム」という言い方があるそうだが、このスカーズデイルという町もウェストチェスター郡にある。要するにジムとアイリーンは、現在の状況においても、将来の夢においても、当時のアメリカの新しい「顔」だった「郊外族」を代表していると言ってよいだろう。「一年平均一〇・三回芝居を観にいく」という統計的な言い方にも、二人が個人というより類型《タイプ》であることが表われている。

それまで使っていたラジオが壊れたので、ジムは四百ドルの大金をはたいて巨大なラジオを買う。ところがこのラジオ、高いだけあって感度は抜群によいのだが、特に不和に対する感度がいいのか、放送だけでなく、同じ建物内のほかの部屋でくり広げられる不和の様子まで「受信」してしまう。ジムが会社から帰ってくると、アイリーンはヒステリー状態に陥っている。

みんな喧嘩ばかりしてるのよ。ミセス・ハッチンソンのお母さんはフロリダで死にかけてるのに、あの人たちにはお母さんをメイヨー・クリニック［ミネソタにある有名な医療センター］に入れるお金がないのよ。少なくともミスター・ハッチンソンはないって言ってるわ。そしてこの建物に住んでるどの女かが雑役夫と不倫しているのよ——あの薄気味悪い雑役夫とよ。気持ち悪いったらないわ。それにミセス・メルヴィルは心臓を患っているし、ミスター・ヘンドリックスは四月で仕事がなくなってしまうしミセス・ヘンドリックスはそのせいでさんざんひどいことを言ってるし、「ミズーリ・ワルツ」のレコードをかけてる娘は売女《ばいた》よ、汚い売女よ、それにエレベーター係は結核だしミスター・オズボーンはさっきからずっと奥さんを殴ってるのよ。

見かけは幸福そうでも、実はどの家庭にもさまざまな形の不幸や不和が巣食っている。それを思い知らされたアイリーンは、「でも私たちは幸福よね？」とジムにすがり、ジムも「そうだとも、僕たちは幸福さ」と答える。だが、まもなく明らかになっていくのは、二人のあいだのどうしようもないずれだ。そして二人の将来も、実は思ったほど明るくはない。会社が業績不振で、ジムもやはり金のことを心配している。ラジオは今年最後の贅沢だったのだ。やがてジムは、ほかの世帯からの「放送」と同じように、妻につぎつぎと罵倒の言葉を投げつけはじめる。

華やかそうな見かけと、その裏に隠れた不安、悲惨、醜聞。その対比を衝撃として提示しているところに、たぶんこの「巨大なラジオ」という作品の古めかしさがある。一九四七年よりはずっとシニカルな時代に生きる現代の読者にとって、こうした表面と実態のずれは、衝撃というよりむしろ出発点だからだ（もっとも、「古い」ことは小説の値打ちとはそれほど関係ないが）。

ジョン・チーヴァーは、戦後アメリカに登場した裕福な「郊外族」の不安を、洗練された文章で描き出した作家と言われる。その通りだが、それに加えて、一見リアリスティックな状況のなかに、超自然的な要素（たとえば、このありえないラジオ）を導入する手際が実に巧みな人でもある。もうひとつ例を挙げると、「泳ぐ人」（一九六四）という短篇では、やはりアッパーミドル・クラスに属する男が、友人の家から自宅まで、家々のプールを泳いで帰ろうと思い立つ。気分としては未知の大陸へやって来た移住者、探検家、みずからの運命を切り拓く人間になったつもりで、男は意気揚々泳ぎはじめる。が、はじめは高級住宅の豪華なプールで、まわりでは同じく裕福な友人たちがグラスを片手にパーティに興じていたのが、何もかもが少しずつみすぼらしくなっていき、やがては混みあった、塩素の匂う公営プール、とだんだん格が落ちていく。本人としては、単に一日のうちにプールからプールへ移動しているつもりなのだが、実はプールの外では浦島太郎的に時間が経っていて、こうしたプールの「格」の変化も、男の社会的没落を——そして若さの喪失を——凝縮した形で表わしている。とうとう、当初の元気は見る影もなく、男は疲れた体を引きずってようやくわが家に帰りつくが——

あたりは暗かった。もうみんな寝てしまうほどの時間なのか？　ルシンダ［妻の名］はウェスタへイジー夫妻のところで夕食をご馳走になることにしたのだろうか？　娘たちも合流したのだろうか、それともどこかよそへ行ったのか？　いつもの日曜どおり、招待は全部丁重に断って一家揃って家で過ごすことにしたんじゃなかったのか？　車はみんなあるかと、ガレージのドアを引っぱってみたが、鍵がかかっていて、ドアの把手から錆《さび》が剝がれて手にぼろぼろ落ちてきた。家の方に近づいていくと、さっきの雷雨のせいで雨樋がひとつ外れてしまっているのが目に入った。玄関の上に傘の骨みたいにぶらさがっているが、まあ明日の朝に直せばいい。家にも鍵がかかっていて、彼はとっさに、馬鹿な料理人か馬鹿なメイドがうっかり鍵をかけてしまったにちがいないと思ったが、まもなく、料理人もメイドも使わなくなってからもうずいぶん経つことを思い出した。彼は大声を上げ、ドアをどんどん叩き、肩で体当たりして力ずくで開けようとし、やがて、窓からのぞいてみると、家のなかは空っぽだった。

＊

シカゴの下町に生まれ育った短篇作家スチュアート・ダイベックの小説にも、ラジオがしばしば登場する。たとえば「ペット・ミルク」（一九八五）という短篇では——

祖母の台所のテーブルには、黄色いプラスチック製のラジオがあった。だいたいいつもポルカ専門の局に合わせてあったが、時おりダイヤルを目盛り半分くらい合わせそこなって、代わりにギリシャ語の局や、スペイン語、ウクライナ語の局が聞こえてきた。僕らが住んでいたシカゴでは、ヨーロッパじゅうの、相容れないいくつもの国家が、雑音の多いダイヤル右端のあたりに一緒くたに詰め込まれていた。英語が聞こえてこないかぎり、祖母には気にならないみたいだった。ラジオは低い音量でいつもかならず鳴っていた。ボディの上部は歪み、側面も真空管付近が琥珀色に変わりかけていた。冬の午後に、学校から帰ってきて聞いたラジオの音を僕は思い出す。祖母のテーブルの前に座ってそれを聞きながら、湯気を立てているコーヒーのなかでペット・ミルクが渦を巻き、雲のような模様を描くのを僕は見つめるのだった。ふと窓の外に目をやると、通りの向かいの鉄道操車場の上で、空も同じことをやっていた。（『シカゴ育ち』〔一九九〇〕所収）

単に自伝的であるわけではないが、一九四二年生まれのダイベックはおおむね自分の育った時代、自分の育った地域の話を書く。だからこれも一九五〇年代前半あたり、チーヴァーの「巨大なラジオ」とほぼ同時代を扱っていると考えてよいだろう。だが時代は同じでも、ユーカリ材の高級キャビネットに収まった四百ドルの超高感度ラジオとは違い、こちらはボディもプラスチック、「側面も真空管付近が琥珀色に変わりかけていた」というのは日本でもかつて安物の五球スーパーラジオによく見られた細部だし、いろんな局がごっちゃになってしまうあたり、感度も相当怪しい。ありえないラジオから一転して、いかにもありそうなラジオの描写を通して、シカゴ南部の、決して裕福とはいえない移民の暮らしぶりが巧みに伝えられている。

だが、ダイベックの小説には、不思議と「貧しい移民の暮らし」の描写にありがちな閉塞感はない。たとえばここでも、コーヒーカップの渦巻から目を窓の外に移すと、通りの向こうで「空も同じことをやってい」るという空間の広げ方に、この作家らしい風通しのよさが感じられる。エドワード・ホッパーの絵などにも人が窓から外を見ている情景がよく出てくるが、ホッパーの絵の場合、窓の外にどれだけ広い空間が広がっていようと、窓辺にいる人はどこへも行けないことを我々は感じる。それとは反対に、ダイベックの場合、イメージの魔術によって一瞬すうっと世界を広げてみせるのである。

　ダイベックの小説の主人公はたいていポーランド系の移民であり、白人とはいえどちらかといえば「少数民族《マイノリティ》」ということになる。アメリカの伝統的な支配階級はしばしばWASP（White Anglo-Saxon Protestant）と蔑称されてきたが、ダイベック・ピープルはアングロ＝サクソン系ではなくスラブ系、プロテスタントではなくカトリック、とWASPのWしか該当しないわけである。

　一九九二年ロサンゼルスで、スピード違反で逮捕した黒人青年に暴行を加えた白人警官が無罪になったのをきっかけに大きな暴動が起きたが、その暴動を通して明らかになったのは、白人対黒人の対立だけではなく、マイノリティ同士の深刻な対立だった。暴動において爆発した黒人たちの敵意は、白人に対して以上に、経済的に黒人をはるかにしのぎつつある、「裕福なマイノリティ」たる韓国系アメリカ人に向けられたのである。

マイノリティ同士の対立は、物語の世界でもしばしばテーマになる。一番有名なのは、ミュージカル映画『ウェスト・サイド物語』(一九六一)だろう。イタリア系の若者たちと、プエルトリコ系の若者たちがいがみ合いをつづけるなか、イタリア系の青年とプエルトリコ系の少女が恋に落ちる。悲劇に終わる結末はもちろんのこと、窓辺で恋人が語りあうシーンまで、シェークスピアの『ロミオとジュリエット』をそっくり真似た映画である。だがそれが、笑うべきパロディではなくそれなりに真正の悲劇になったのも、移民同士の対立という不幸な現実をしっかり踏まえていればこそだった。

ダイベックという作家の新鮮さは、ひとつには、マイノリティ間に立ちはだかるこうした壁を、空間をすうっとつかのま広げてみせるのと同じように、一瞬あざやかに取り払ってみせるところだ。


あるとき、ガード下の向こうのダグラス・パークの側に黒人の子供たちの一団が現われて、バスからファルセットまで揃ったハーモニーを聞かせた。コースターズそっくりの見事なハーモニーで、はじめ僕らは声の大きさでそいつらを圧倒してやろうと思ったのだが、あんまり綺麗なので、ペパーがリズムを刻みつづけた以外は、結局みんな黙って聴き惚れていた。

僕らはガード下のこちら側から喝采を送ったが、向こう側へ行こうとはしなかったし、黒人の子供たちも動かなかった。前の年の暴動以来、ダグラス・パークは新しい境界線になっていたのだ。（「荒廃地域」『シカゴ育ち』所収）

本来は「隔てる」ものである境界線が、一瞬「つなぐ」ものに変わる。根拠のない楽観に浸ることなく（たとえばここで、白人の少年たちと黒人の少年たちが美しい友情で結ばれる、なんて嘘くさい展開には間違っても持っていかない）、つかのまの救済をダイベックは現実のなかにさりげなく投げ込む。

こうしてみると、「ギリシャ語の局や、スペイン語、ウクライナ語の局が聞こえて」くるラジオは、そうした風通しのよいダイベック・ワールドにいかにも似つかわしく思える。「相容れないいくつもの国家」が、そこでは、相容れないままに共存している。近年アメリカでは、multiculturalism（多元文化主義）ということが盛んに言われるが、これはそのきわめてさりげない一形態と言ってよいだろう。

＊

一方、レイモンド・カーヴァーの「メヌード」（一九八七）で語られるのは、主人公の男が母に買ってやれなかった、いや、買ってやらなかったラジオである。

以前僕は、母に毎月仕送りをしていた。でもそのうちに、同じ額を半年ごとにまとめて送るようになった。誕生日と、クリスマスにもお小遣いをあげた。僕は思ったのだ。こうすれば、母さんの誕生日を忘れたら、なんて心配せずに済む。クリスマス・プレゼントに何を送ろうか、なんて心配も要らない。なんにも心配せずに済むのだ。長いあいだ、これで万事うまく行っていた。

それが去年、お金を送るちょうどはざまの三月だか四月だかに、ラジオが欲しい、と母が言ってきたのだ。ラジオがあると助かるんだよ、と母は言った。

母が欲しがったのは、小型の時計付きラジオだ。台所に持っていって、夕御飯を作っているあいだ聞くことができるようなやつ。時計もついているから、オーブンの料理の焼き上がりもわかるし、聞きたい番組まであとどれくらいかもわかる。

小さな時計付きラジオ。

母は最初、遠回しに言ってきた。「ラジオが欲しいんだけどねえ。でもお金がないからねえ。誕生日まで待つっきゃないね。前に持ってたちっちゃなラジオ、あれ、落っことして壊しちゃった。ラジオがないと寂しくてねえ」。ラジオがないと寂しくてねえ。電話で話したとき、母はそう言った。手紙を書いても、やっぱりその話題が出てきた。

とうとう――僕は何と言ったか？　電話で母に向かって、ラジオなんか買う余裕僕にはないよ、と言ったのだ。手紙でもそう言った。はっきり間違いなく伝えておこうと思ったのだ。ラジオなんか買う余裕僕にはないよ、そう書いた。もうこれ以上は出せないよ、ただでさえ精一杯なんだから、と。まさしくそういう言い方をしたのだ。

　だけどそれは嘘だった！　出そうと思えばもっと出してあげられたのだ。出せない、と口先で言っただけだ。その気になれば、ラジオを買ってやることくらいできたのだ。いったいいくらかかるというのか？　三十五ドルか？　四十ドル、税込みだってそれでお釣りが来たはずだ。郵便でラジオを送ってあげることだってできた。自分でやるのが面倒だったら、店の人に頼んで送ってもらったってよかった。じゃなけりゃ、四十ドルの小切手にメモを添えて送ってあげてもよかった。このお金はラジオの分です、
　とにかく、何とかすることはできたのだ。たったの四十ドル――まったく。なのに僕は何もしなかった。四十ドルを手放そうとしなかったのだ。これは主義の問題なんだ、なんていう気になって。とにかく自分にはそう言い聞かせた。これは主義の問題なんだ、と。

　ふん。

　それからどうなったか？　母は死んだ。死んだのだ。食料品店からアパートへの帰り道、買

物袋を抱えて歩いている最中、どこかの家の茂みに倒れ込んで死んでしまった。

時計付きラジオが三十五ドルか四十ドルという物価からして、作品の時代設定も、ひとまず発表時期同様八〇年代と考えてよいだろう。どうやらあまり出世しなかったらしい息子からの仕送りを頼りに、おそらくは生活保護のような形で、この母親は暮らしていた。その母が欲しがったのが、時計付きラジオだというところがリアルである。たぶんほとんどのアメリカ人にとって同様、この母親にとってもテレビは文字どおりの生活必需品だろう。だがラジオは逆に、ささやかな贅沢なのだ。「時計もついているから、オーブンの料理の焼き上がりもわかる」というように、限りなく実用品に近い贅沢品。ダイベックの小説の使い古したラジオは、貧しげな世界に不思議と広がりをもたらしていた。カーヴァーの小説における不在のラジオは、貧乏の切実さをぴたっと残酷に確定する。

主人公はそのささやかな贅沢を母に与えてやらなかった。そして母はある日ぽっくり死んでしまう。この展開のあっけなさが、いかにもカーヴァーらしい。小説は主人公の冷淡さを糾弾しているわけでもないし(もちろん弁護しているのでもないが)、母親の人生の悲惨さをことさらに照らし出すわけでもない。だからこの一節を読んで、我々は（少なくとも僕は）母にラジオを買ってやらなかった主人公を、非難する気にも許す気にもならない。あるいはまた、不在のラジオを、母の不幸の象徴というふうに考えるのもたぶん的はずれだろう（ラジオを買ってやれば母は幸福に死んでいったか？　そうかもしれないし、そうでないかもしれない）。それは誰にもわからない。たしかに努力すれば違ったふうにできたのかもしれないけれど、とにかく物事はそういうふうに起きてしまった――過剰な意味づけを排して、小説はただそういう事実を語っている。そこに一貫した因果の糸が結ばれてはいない。起こらなかったことも含めて、出来事がぎくしゃく並んでいるだけだ。買われなかったラジオは、そうした出来事を語る上での奇妙に雄弁な「注釈」であって、何かの「象徴」ではない。このように、何げない「物」――引越しの荷物を詰めた箱、誕生日のケーキ、シャンペンボトルのふた等々――が状況をぶっきら棒に注釈する、というのが、レイモンド・カーヴァー独特の小説の組み立て方である。

七〇―八〇年代の代表的短篇作家カーヴァーがくり返し描いたのは、小さな田舎町に住む、貧しい労働階級の白人の生活だった。五〇―六〇年代の代表的短篇作家チーヴァーが、郊外に住む裕福な中流階級の白人を描いたのとは好対照である。一九四七年に四百ドルで買ったあまりに高性能な禍々《まがまが》しいラジオと、八七年に三十五ドルかそこらで買えたはずの、ささやかな贅沢品たる実用的ラジオ。前者はアメリカという国が自信に満ちていた時代の華やかさとその陰にあった不安を体現し、後者はアメリカの威信がとうに失われた時代の喪失感を体現している、と言ったらさすがにまとめすぎというものだろうが、少なくとも〈チーヴァーからカーヴァーへ〉の、短篇小説における目のつけどころの変化を、チーヴァーのありえないラジオとカーヴァーの買われなかったラジオは雄弁に物語っている。もちろん、時代を切る鋭利な刃物であるだけでなく、ダイベックの小説にあるように、ラジオは今も昔も、世界の風通しをほんの少しよくしてくれる装置でもありつづけていると思いたい。

エピローグ……………アメリカ文学のレッスン

翻訳とは、移植したいという渇望とは、シェークスピアをバントゥー語に持ち込むことが肝要なのではない。肝要なのは、バントゥー語をシェークスピアに持ち込むことなのだ。——リチャード・パワーズ『黄金虫変奏曲』

リー・ストリンガーという作家がいる。黒人で、現代アメリカ初の本格的な「ホームレス作家」の一人である。

かつてストリンガーはそこそこに成功したビジネスマンだったが、やがて兄を亡くして精神的に痛手を受け、と同時にドラッグに依存するようになった。時は一九八〇年代のなかば、安価で効きのいい新ドラッグ「クラック」が爆発的に広まっている最中で、そのせいでホームレスの数もますます増大しつつあり、彼もそのようにしてホームレスになった。なったあともドラッグはやめられず、パイプに詰まったドラッグのかたまりを押し出すのにちびた鉛筆を使っていた。あるとき、ドラッグが手に入らず手持ちぶさたなので、そうか、鉛筆ってのはものを書くのにも使うんだっけなと思い立ち、試しに友人のことや、その友人の友人であるエイズで死んでいく男のことを書いてみた。書き上がったものを読んでみたら、我ながら悪くない出来だと思ったので、ホームレス雑誌の編集室に持ち込むと（ニューヨークやロンドンでは、ホームレスの人々が街頭で売って生活の足しにするための雑誌が作られている）、首尾よく掲載してもらえて、やがては編集にも携わるようになり、ついには十年あまりのホームレス生活から抜け出すことができた。一九九八年には初の著書『グランド・セントラル駅の冬』が、彼を「新しいジャック・ロンドン」とたたえるカート・ヴォネガットの序文付きで刊行され、かなりの反響を呼んだ。最近では、彼とヴォネガットとの対談本も出版された。

八〇年代以降のアメリカ文学は、マイノリティの文学が前面に出てきたことが大きな特徴である。四〇―五〇年代にもマイノリティ文学の波はあったが、当時はほぼ黒人とユダヤ系に限られ、作家もほとんどは男性だった。それが今回は、中国系（マキシーン・ホン・キングストン）、ネイティブアメリカン（ルイーズ・アードリック）、黒人改めアフリカン・アメリカン（トニ・モリソン）、チカーノ（＝メキシコ系、サンドラ・シスネロス）、カリブ（ジャメイカ・キンケイド）等々、人種的にも多様で、女性作家が中心である。その結果、四〇—五〇年代のときの「彼ら」（白人）と「我々」（黒人、ユダヤ人等）という図式に性差の要素が加わって、たとえば〈彼ら／我々〉の権力関係が「我々」内の男／女のあいだで再生産されたり、あるいは、「我々」内の男は「彼ら」に組み込まれざるをえない一方で女は「我々」の土着的なものを守る、といったバリエーションが生じている。

だが、もうひとつ、新たに現われたマイノリティ文学と見るべきなのは、白人でありながら繁栄からまったく取り残された貧しい人々を描き、みずからもそうした背景から出てきた、レイモンド・カーヴァーをはじめとする労働階級出身の白人作家たちの作品ではないかと思う（そしてこれらの作家たちの場合、「組織」の章でカーヴァーについて少し触れたように、「彼ら」が見えないシステムと化して「我々」をがんじがらめに縛っている、という点が特徴的）。だとすれば、その延長線上に、マイノリティ文学の新たなサブジャンルとして「ホームレス文学」が出てくるのは、ほとんど論理的必然のように思える。カーヴァーの描く人々も、多くの場合失業していて（だから厳密には非労働階級と呼ぶべきか）、この先、ホームレス暮らしに転落しても不思議はなさそうな人々ばかりだからだ。
ストリンガーの『グランド・セントラル駅の冬』は、十八の短篇から成る連作短篇集である。そのうちの一篇は、まさにニューヨーク、グランド・セントラル駅の構内で、数十人のホームレスが寒さを逃れて寝ている情景からはじまる。そこへ、一人の若い男が入ってくる。

背の低い、ライアン・オニールタイプの若造で、ぴかぴかの、いかにも駆け出しエリートが着そうなグレーのスーツを着ている。スロープを一目見たとたん男は足がぴたっと止まり、わずかにくずおれたかに見えた。目の前には、二十人か三十人の人間が並んでいる——男もいれば女もいて、まだ人生盛りの若い男、ぜいぜい息をしている貫禄たっぷりのご婦人、獅子鼻で喧嘩っ早そうな古強者《ふるつわもの》、酔いつぶれたアル中、薬の切れているクラック中毒、途方に暮れた子供たち、それがみんな、グランド・セントラル駅下階のスロープの冷たいコンクリートの床で体を丸くしている。

男はその場に凍りついて、うめき声を上げた。「ああ。なんて。ことだ!」三つの簡潔な音節が、震える声で発せられる。それがオペラばりの轟《とどろ》きに拡大されたのは、ひとつには男がコカインをやっていたからであり(それを露呈する白い輪が見えた)、加えて、駅の大理石の壁が音を相手にピンポンをやるからである。

「ああ、なんてことだ」と男はもう一度言った。

今度はすすり泣きをこらえている。

そのとき私は、こいつはニューヨーカーじゃないな、と思った。「ホームレス」を四年間見せられてきたゴサム〔ニューヨークの俗称〕の一般市民は、このくらいの眺めではびくともしない。エリソンの『見えない人間』と同じように、我々もまた、アメリカン・ドリームの正しさを支えない場に入り込んでしまったのだ。

そしていま、そういう場に目を向ける者はほとんどいない。

何もない無人地帯のなかの、人間でない人間たち。

もちろん、無関心を育むのはおたがいさまだ。我々落ちこぼれだって、通りがかる大衆をこっちの意識の周辺に追いやるすべを、同じくらい巧みに身につけている。

だから、愕然としたウォルドーフ氏が心のままに上げた叫び声が壁にぶつかって構内に響きわたるなか、私を含めて数人の仲間がいちおう反応したのも、叫びにこもった心情ゆえというよりは、むしろその音量ゆえだった。

社会的にはカーヴァー・ピープルのいわば延長線上に位置する人々を描いているわ

けだが、カーヴァーとの文体上の違いは明らかだ。きわめて「脱文学的」なカーヴァーの文章に較べて、こちらはずっと「文学的」である。

「組織」の章で引用した「保存」の書き出しに端的に見られるように、カーヴァーの小説では、地の文と会話文とがほとんど地続きになっている。要するに、言語的にあまり豊かでない登場人物たちの言語レベルに、語り手が降り立っている（この方法をカーヴァー以外の人がやると、単に言語的に貧しいだけの文章になってしまうことも多い）。これがたとえば、半世紀くらい前の、スタインベックの小説などでは、同じように貧しい白人を描いていても、地の文は折目正しい英語、登場人物の科白《せりふ》は非標準的な英語で、そこにものすごい落差がある（"The seated man stared questioningly at him. 'Now ain't you young Tom Joad— ol' Tom's boy?'" といった具合）。

この違いについて、三浦雅士は、カーヴァーらいわゆる「ダーティ・リアリスト」の新しさを論じるなかで、「重要なのは、下層労働者の目で下層労働者を描いたということである」と指摘している。「むろん、これまでも多くの作家が下層労働者を描いてきた。ヘミングウェイだろうが、フォークナーだろうが、スタインベックだろうが、みな描いている。けれど、たいていは中産階級の視点から俯瞰《ふかん》するように描いてきたといっていい。あえていえば、あたかも労働者を救済するように彼らは描いてきたのである」(「文学と階級」『小説という植民地』〔一九九一〕所収)。その通りである。地の文と会話文との落差のあるなしは、この違いの、言語面での表われにほかならない。

では、リー・ストリンガーのホームレス小説の場合はどうか。カーヴァー的な「下層労働者の目」に視点が限定されていないのは一目瞭然だろう。「ライアン・オニールタイプの若造」といった大衆文化への言及、「ゴサムの一般市民」(the rank and file of Gotham)といった紋切り型、さらには「名前」の章でもとりあげた『見えない人間』——こっちはハイカルチャー——への言及などから明らかなように、この語り手には、中産階級的な、雑多な知識や教養が混じっている。とするとこれは、スタインベックらの描き方に回帰して、中産階級の視点からホームレスという下層階級を「あたかも……救済するよう」な目で見下ろしているということだろうか。もちろんそうではない。ホームレスの視点自体に、中産階級の視点が混じっているのだ。たしかにここには、こうした教養を盛り込むのが文学なのだ、という気負いもやや感じられる。だが、いくら気負ったところで、教養がなければ盛り込みようがあるまい。

一方、ホームレスの悲惨を目の当たりにしてOh my God!と嘆くウォルドーフ氏は、まさにそれこそホームレスを「救済するよう」な目で彼らを見ている。実際、このあと彼は、「君たち、ここに来れば仕事があるよ」と名刺を配って回る(ホテルの人事課に勤めているのだ)。ストリンガー自身にそういう意識はおそらくないだろうが、これはほとんどかつての下層階級の描き方のパロディに見える。そして、そういうウォルドーフにしても、実はいつホームレスに転落するかわからないことをこの小説は示唆している。鼻に浮かぶ白い輪は、ウォルドーフと主人公とをしっかり結んでいる。カーヴァーの場合は地の文(語り手の階層)と会話文(登場人物の階層)が地続きだったが、今度は、中流階級と下層階級という二つの階級自体が地続きになっている。

およそ一世紀前、警察担当の新聞記者だったジェイコブ・リースが、写真に基づくイラストを駆使してニューヨークの貧民窟に住む人々の実態を明らかにしたルポルタージュ『世の半分は如何に暮らしているか』(一八九〇)を刊行したとき、貧者は「発見」の対象だった。その衝撃的な「発見」にシオドア・ローズヴェルトらが触発されて、スラム改善の政策が大々的に行なわれるに至ったのである。だが、『グランド・セントラル駅の冬』ではもうそのような衝撃はない。中流とホームレスは、ほとんど切れ目なしにつながっている。社会の表と裏、中心と周縁とのあいだの風通しが妙によくなっているのだ。そしてなおかつ、社会的な差異・線引きは厳然と残っている――そんな奇妙な事態がここにはある。

もちろん、ストリンガーの本を通して、「一般市民」がホームレスの「実態」を「発見」したということはある程度あるかもしれない（ちなみにこの本はかなり売れた）。だが最大の「発見」のひとつは、ホームレスになる人間の持つ背景が、時としていかに「一般市民」に近いかという点ではないだろうか。要するにそれは、誰でもすぐホームレスになれるという発見だ。

＊

そもそもホームレスに限らず、発見すべき〈他者〉が現在のアメリカ文学からは消えかかっているのではないか。

これまでアメリカの、少なくとも白人男性の文学は、中流階級的な素養を身につけた白人の男が、女性、白人以外の人間、下層階級の人々、子供といった〈他者〉や、荒野、外国、大洋といった〈外部〉（あるいはその内面バージョンたる無意識・狂気等々）をいわば滋養にして物語を作り上げてきた。一昔前の言い方をすれば、硬直した中心が、混沌をはらんだ、両義的な周縁によって活性化されてきたのだ。だが現在、どこにそのような〈他者〉や〈外部〉が見出せるだろう？　たとえば、白人男性が、貧しいけれども正しく生きる老いたマイノリティ女性の生きざまを得て自分も生きる勇気を取り戻す、などという話が説得力を持ちえるだろうか。無理に決まっている。異国へ行く？　たしかに、タンジールへ行ったポール・ボウルズ、ベトナムへ行ったティム・オブライエンなどは、白人から見て周縁的と呼べる世界との緊張をはらんだ出会いから小説を作っている。が、大半の人間は外国へ行くといっても要するに観光客として行くほかないのであり、観光客となれば、ジャマイカ・キンケイドが『小さな場所』（一九八八）で罵倒したとおり、植民地主義のなれの果ての醜い存在でしかない。

現地の人間が観光客を嫌う理由を説明するのは易しい。あらゆる場所のあらゆる現地人は潜在的な観光客であり、あらゆる観光客はどこかの現地人だからだ。すべての現地人は世界中どこでもとてつもなく凡庸で退屈で絶望的で憂鬱《ゆううつ》な生活を送っているのであり、すべての営みは、それがよいものであれ悪いものであれそのことを忘れようとする企てなのだ。すべての現地人は、出口を見出したいと思っている。休みたいと思っている。観光に行きたいと思っている。でも一部の現地人は——世界中ほとんどの現地人は——どこへも行けない。貧しいからだ。貧しくて、どこへも行けない。貧しくて、自分の生活の現実から逃げられない。貧しくて、自分が生きているところでまともに生きられない。そしてその彼らが生きているところこそ、観光客であるあなたが行きたがるところだ。だから、現地人が、観光客であるあなたを見るとき、彼らはあなたを妬む。あなた自身の凡庸と退屈を逃れられるあなたの力を妬む。彼ら自身の凡庸と退屈をあなたの快楽の源に変えられるあなたの力を妬む。（『小さな場所』一章）

ここでキンケイドが言っていることは、論じ方はともかく、論自体は反論しようのないものに思える。要するに、他者に触れて自分が活性化される、というシナリオに思えていたものが、今日ではもはや、他者を消費することにしかならない。少なくともそう思えてしまう。この差は大きい。

経済学者の岩井克人の『二十一世紀の資本主義論』（二〇〇〇）で強調されていることのひとつに、グローバル市場経済の「純粋性」ということがある。商業資本主義では、遠隔地とのあいだの価値体系の差異を媒介として、利潤が生み出される。要するに、こっちで安く買えるものがあっちで高く売れるので、それによって儲けが生じる。それが産業資本主義になると、都市と農村とのあいだの差異、具体的には賃金の差異によって資本家が利潤を得る。賃金が上がれば資本家は儲からないが、上がりそうになると農村から過剰人口がまた流入してきて賃金率を引き下げる。それで利潤が上がる。どっちの資本主義にしろ、世界が均質でないおかげで差異が生じていて、その差異をもとに利潤が上がっているわけである。ところが、グローバル市場経済になると、そういう差異がほぼなくなってしまう。差異を生むべき〈外部〉がないのだ。そういう意味でこれは「純粋」な資本主義である。ゆえに、市場経済の本来的な不安定性を先送りしてくれるものがないから、今後はくりかえし危機がひきおこされるだろう、というのが岩井克人の結論だが、まさにこの、利潤を生むべき〈外部〉がなくなってきている、というのは、小説において、自己を活性化してくれるべき〈外部〉や〈他者〉がなくなってきていることの完璧なアナロジーに思える。

*

〈外部〉とは時に、空間化された未来のことだろう。そして〈他者〉とは時に、理想化された自分のことだろう。未来が、少なくとも明るい未来が見えず、理想の自分などというものも思い描きにくくなっている今日、〈外部〉や〈他者〉が見えにくくなっているのは当然かもしれない。それにまた、二〇〇〇年の現在、いまこうして目に見える世界の〈外部〉を具体的にイメージしようとするとき、たとえばトマス・ピンチョンが六〇年代に思い描いたような〈もうひとつの世界〉が見えてくるかというと――むろんピンチョンの場合、その〈もうひとつの世界〉が実在するのか、見る側のパラノイアの産物なのか、曖昧《あいまい》であるところがミソなのだが――それは難しい。その前にまず思い浮かんでしまうのは、いうまでもなく、インターネットによって結ばれた情報の網だからだ。

だがそのこと以上に、自己が他者から滋養を得る、中心が周縁によって活性化される、というシナリオの非対称性が、いまや問題になっているのではないだろうか。

そして、アメリカ文学についてこういうことを考えるなら、アメリカ文学を読む自分についても同じことを考えてみる必要があるだろう。僕もまた、アメリカ文学という〈他者〉を消費しているだけではないのか、と。いままで自分がしてきたように、「面白い」「面白くない」を唯一の基準に小説を読むことが悪いとは全然思っていない(というか、それ以外で小説に対して失礼にならない読み方なんて思いつかない)が、小説のなかの人物たちが〈他者〉を消費することについて考えようとするなら、少なくとも、なぜ自分がこれを面白いと思いあれをつまらなく思うのか、それもあわせて考えてみるべきだろう。

といっても、実際に小説を読むときは、要するに本の世界に浸っているわけだから、その読み方を意識的に変えることなどできはしないのだが、少なくとも、一歩引いて自分の読み方について考えるときには、相手に自分を活性化してもらうという肯定的発想にせよ他者を消費するという否定的発想にせよ、とにかくそうした非対称的な発想以外の道はないか考えてみることはできる。

そういうことを考える上で、ヒントを与えてくれそうな現代アメリカ作家として、一九五七年生まれのリチャード・パワーズを挙げることができる。

これまで六冊の長篇を発表しているパワーズという作家の大きな特徴は、世界を思い描く上で、意味づける自分と意味づけられる対象、自己と他者、というふうに非対称的な関係をその根底に据えるのではなく、自分と対象との関係がまずあって、刻々変化していくその関係から、そのつど自分と対象とが分泌されていく、というふうに捉えていることである。

たとえば第一作『舞踏会へ向かう三人の農夫』(一九八五)は、実在のドイツ人写真家アウグスト・ザンダーの撮った一枚の有名な写真をどう見たらよいかをめぐる丹念な模索を物語化した作品と言える。だが、そこでは、人が写真を見る・意味づける、という主/従の発想ではなく、人が写真を見るのと同程度に人が写真によって見られる、という考え方が推し進められている。

機械が捉えたあらゆる風景、室内、肖像、それらはみな時間を超えて、見る者のもとへやって来る。それはシャッターの押された瞬間から、見る瞬間と合体する機を待って未来へ送り出された記憶だ。像に目をとめ、像を観察したとたん、見る者は共犯関係に巻き込まれ、その記憶におけるパートナーとなる。写真を見ながら、我々は複製された亡霊に向かって、撮影者が下した決断と批評の相似物を実演し、反復する。我々は問う、「この瞬間を保存したいと思うためには、私は誰であらねばならないか、何を信じる人間であらねばならないか?」

そして、我々が日々行なう自伝的修正が集合的歴史に似ていて、集合的歴史がみずからを形成していくことを可能にするのと同じように、写真の像を見て、それを愛するという営みも、我々を行動へと駆り立てる。それはあくまで、像の歴史的文脈によって制限された行動だが、とにかく解釈という営みを行なうためには、我々は自分を共謀関係に追い込む必要がある。感情と意味とを結ぶ道、はかない被写体と、それを保存しようとする執拗な決断とを結ぶ道を、我々は拓かねばならない。写真の作者と、我々自身とを結ぶ道を拓かねばならないのだ。

我々が被写体を見るという発想は、こうして信憑性を失ってくる。我々は被写体の向こうに目を向け、何か別のものを見きわめようとしているのだ。映画の編集者が、首を回している女性のショットから、通りの向かいに並ぶ店の中距離ショットにつなぐとき、我々はその女性のまなざしの動きをたどっている。みずからの意志でその動きに注意を向け、彼女とともに見ているのだ。モンタージュを理解するということは、編集者の基準に従って、カットを逆方向に組み立て直すということだ。見る行為として、モンタージュを動的に作り直すということだ。

同じことが写真にも当てはまる。レンズは時間を横切ってひとつの断面を切りとり、すでに変わってしまった出来事への変わらぬ覗き窓を提供する。フレームは我々に、撮影者との同時性を感じるよう促す。それは博物館のガラスが、蜂の巣の断面を見せて、蜂のコロニーのなかで生きるよう我々に促すのと似ている。空間を切りとるフレームの左や右に何があるかについては、我々としてもそれほど気にしてはいられない。もしも意味と意義をつなぐ道が拓けるとすれば、それは、何かいままで見逃していたディテールや、何か別のものとの類似を見出してつかのまの快感を覚えた瞬間、写真の平面の前にあるものを意識するときに拓けるのだ。

我々は写真の向こうを漁ってまわる。「ここにどんな世界が保存されているのか?」と問うのではなく、「私はこれを保存した人間とどう違うのか、ここに保存された人間たちとは?」と問いながら。他人を理解することは、おのれの自己像を修正することと不可分だ。二つのプロセスはたがいに呑み込みあう。写真が我々を惹きつけるのは、何よりもまず、写真が我々を見返すからだ。(『舞踏会へ向かう三人の農夫』十九章)

このように論理的に説明した文章だけを抜き出すのは、実は、小説家パワーズに対してフェアではない。ここで解説されているような、人間と写真がいわばたがいを意味づけあう営みを、物語のなかで巧みに実演してみせているところに、パワーズの小説家としての真骨頂があるからだ。だがいずれにせよ、パワーズの描く世界にあっては、人間は世界を作る存在でもあり、世界によって作られる存在でもある。対象が一枚の写真であれ、一人の他人であれ、第一次世界大戦であれ、我々はつねに共犯関係に巻き込まれ、つねに共謀関係に追い込まれている。世界を解読するたび、我々は自分というファイルを更新している。解読に「正解」はない。世界というファイル、自分というファイルの両方をどう豊かに更新するかが問題なのだ。それは、自分が他者の奉仕を受けて活性化される、というのとは微妙に違う。こうした考え方を通して、読み手は、自分が世界とどうかかわったらよいかについてのレッスンを受けることになる。

　第三作にあたる大作『黄金虫変奏曲』（一九九一）では、対象はＤＮＡ、言語、暗号、音楽（特にバッハの『ゴルトベルク変奏曲』）と多岐にわたる。そこではもはや、人間が情報を解読するだけではない。ＤＮＡのレベルからはじまって文学テキストに至るまで、人間そのものが、解読すべき情報で出来ているのだ。そしてここでも、解読に正解はない。この小説の鍵言葉を使えば、すべては「翻訳」だ。いうまでもなく、あらゆる翻訳は誤訳である。だがその誤訳が、ＤＮＡについていえば世代間の変異を生じさせ進化を生み出し、バッハでいえばドシラソというわずか四つの音から、三十の変奏曲から成る豊かな宇宙を生み出すのだ。

シェークスピアをバントゥー語に、インディアナをブルックリンに、レスラー博士を韻文に、欲望を生物学用語に。世界は翻訳でしかない、翻訳以外の何物でもない。だが逆説的なことに、言い表わしがたいことに、それはまさにほかでもない、ここという場所の翻訳なのだ。これらの変換作業——言葉をカンタータに、風景を言葉に——がめざすのは、原文に対する忠実度でもなければ（忠実度がなければ価値もないが）、目標言語における美でもない（美がなければ、徒労だが）。すべての翻訳のポイントは——科学に費やされた数年、美術史から離れて、図書館にこもって、この段落に閉じこめられた数年——こうしてにわかに、まったく同じになる。

　翻訳とは、移植したいという渇望とは、シェークスピアをバントゥー語に持ち込むことが肝要なのではない。肝要なのは、バントゥー語をシェークスピアに持ち込むことなのだ。土着のセンテンス以外に、その言語に何が言えそうか、それを示すこと。めざすのは、起点を引き延ばすことではなく、目標を拡げること、かつて可能だった以上のものを抱擁することだ。有効な解読を行なったのち、「正しい」解決を思いついたのち——たとえそれがどれだけ一時的で、試験的で、入れ替え可能な、局部的なものであれ——二つの拡張された、高められた言語（シェークスピアもまた、アナロジーがアフリカの平原に適応することによって永久に変わる）が三角測量の六分儀を形成し、それが廃墟の塔の高みをふたたび指し示し、限定された言語を、言わなくても知が通る場へと導いていくのだ。（『黄金虫変奏曲』第二十二変奏）

シェークスピアとバントゥー語の関係は、もちろんアメリカ文学と日本語の関係でも同じである。自分にどんな六分儀が作り出せるのか、まったく心許ないけれども、アメリカ文学を「消費」するにとどまらない、新しいアメリカ文学「翻訳」法につながる発想のレッスンがここに見えていると思う。

あとがき

以上の文章で紹介した作品の訳書・比較的入手しやすい原書の情報については、巻末のブックリストにまとめた。ご利用いただければ幸いである。まあかならずしも、訳書・原書に向かっていただかなくとも、勝手に作品を夢見てくださっても結構である。べつにアメリカ文学についての知識なんてゼロでも人は生きていける。とにかく、この本が引き金となって、何か楽しいことが生じてくれれば何でもいいのである。

『本』連載をお読みくださったすべての読者の皆さんに感謝する。原稿段階で読んでくださり誤りや無知を正してくださった同業者の皆さんに感謝する。『アメリカ文学のレッスン』というタイトルを考えてくださった小澤英実《えいみ》さんに感謝する。「建てる」の章は東大文学部で沼野充義《みつよし》氏が主査を務めている「多分野交流演習」での発表と、参加者の皆さんからいただいたコメントを元に書いた「家とアメリカ文学」（多分野交流演習論文集『とどまる力と越え行く流れ』に収録）に基づいている。沼野氏をはじめ、多分野交流演習参加者の皆さんに感謝する。『本』連載中に毎号堅実な実務的サポートと、鋭くかつ元気の出るコメントをくださった『本』編集部の石坂純子さんに感謝する。

そして、この本をそもそも企画してくださったところにはじまり、全段階において筆者を励まし、脅し、なだめ、すかし、その他ありとあらゆる手を使ってリードしてくださった講談社学芸図書第一出版部の堀沢加奈さんに最大の感謝をお贈りする。

ご迷惑かもしれないが、この本は中学校時代の恩師、阿部主計《かずえ》先生に捧げる。

二〇〇〇年四月

柴田元幸

Portnoy's Complaint, Vintage

ロス、ヘンリー　Henry Roth
Call It Sleep, Penguin; Noonday

ロレンス、D・H　D. H. Lawrence
ローレンス『アメリカ古典文学研究』大西直樹訳、講談社文芸文庫
Studies in Classic American Literature, Penguin USA

堂／「僕の親戚、メイジャ・モリヌー」「ウェークフィールド」『ホーソーン短篇小説集』所収、坂下昇訳、岩波文庫
"My Kinsman, Major Molineux," "Wakefield," *Selected Tales and Sketches,* Penguin

マッカラーズ、カーソン　Carson McCullers
※『心は孤独な狩人』河野一郎訳、新潮文庫
『悲しき酒場の唄』西田実訳、白水Uブックス
The Heart Is a Lonely Hunter, Bantam
The Ballad of the Sad Café, Bantam

マラマッド、バーナード　Bernard Malamud
※『アシスタント』加島祥造訳、新潮文庫
The Assistant, Penguin

ミラー、ヘンリー　Henry Miller
『北回帰線』大久保康雄訳、新潮文庫
Tropic of Cancer, Grove; Signet, etc.

メルヴィル、ハーマン　Herman Melville
『白鯨』阿部知二訳、岩波文庫（上中下巻）／田中西二郎訳、新潮文庫（上下巻）／千石英世訳、講談社文芸文庫（上下巻）
『ピエール』坂下昇訳、国書刊行会
「代書人バートルビー」バベルの図書館9　酒本雅之訳、国書刊行会
Moby-Dick; or, The Whale, Penguin; Bantam, etc.
Pierre; or, The Ambiguities, Penguin
"Bartleby, the Scrivener," *Bartleby and Benito Cereno,* Dover / *Billy Budd and Other Tales,* Signet, etc.

ライト、リチャード　Richard Wright
※『アメリカの息子』橋本福夫訳、ハヤカワ文庫（全2巻）
Native Son, HarperPerennial

ロス、フィリップ　Philip Roth
※『ポートノイの不満』宮本陽吉訳、集英社文庫

所収、徳永暢三訳、小沢書店
The Bell Jar, Bantam; HarperPerennial
"Daddy," *The Collected Poems,* HarperCollins

フランクリン、ベンジャミン Benjamin Franklin
『フランクリン自伝』松本慎一・西川正身訳、岩波文庫
The Autobiography of Benjamin Franklin, Dover; Penguin

ヘミングウェイ、アーネスト Ernest Hemingway
「インディアン村」※『われらの時代に』所収、宮本陽吉訳、福武文庫／「インディアンの村」『ヘミングウェイ全短編1』所収、高見浩訳、新潮文庫
"The Indian Camp," *The Complete Short Stories,* Scribner / *The Short Stories,* Simon & Schuster

ヘラー、ジョーゼフ Joseph Heller
『キャッチ=22』飛田茂雄訳、ハヤカワ文庫（上下巻）
Catch-22, Scribner; Vintage

ポー、エドガー・アラン Edgar Allan Poe
「アッシャー家の崩壊」河野一郎訳、『ポオ小説全集１』所収、創元推理文庫
「リジイア」阿部知二訳、『ポオ小説全集１』所収
「赤死病の仮面」松村達雄訳、『ポオ小説全集３』所収
「タール博士とフェザー教授の療法」佐伯彰一訳、『ポオ小説全集４』所収
"The Fall of the House of Usher," "Ligeia," "The Masque of the Red Death," *The Fall of the House of Usher and Other Writings,* Penguin / *Selected Tales,* Oxford / *The Complete Tales and Poems,* Penguin
"The System of Doctor Tarr and Professor Fether," *Selected Tales / The Complete Tales and Poems*

ホーソーン、ナサニエル Nathaniel Hawthorne
「ぼくの親戚モーリノー少佐」「ウェイクフィールド」『ナサニエル・ホーソーン短編全集Ⅰ』所収、國重純二訳、南雲

The Rise of Silas Lapham, Viking; New American Library

パワーズ、リチャード　Richard Powers
『舞踏会へ向かう三人の農夫』柴田訳、みすず書房
Three Farmers on Their Way to a Dance, HarperPerennial
The Gold Bug Variations, HarperPerennial

ピンチョン、トマス　Thomas Pynchon
『競売ナンバー49の叫び』志村正雄訳、筑摩書房
The Crying of Lot 49, Vintage; HarperPerennial

フィッツジェラルド、F・スコット　F. Scott Fitzgerald
フィツジェラルド『グレート・ギャツビー』野崎孝訳、新潮文庫
The Great Gatsby, Penguin; Scribner

フィリップス、ジェーン・アン　Jayne Anne Phillips
「一九三四年」干刈あがた・斎藤英治訳、※『80年代アメリカ女性作家短篇選』所収、新潮社
"1934," *Black Tickets,* Delacorte; Faber and Faber

フォークナー、ウィリアム　William Faulkner
『アブサロム、アブサロム！』高橋正雄訳、講談社文芸文庫（上下巻）
Absalom, Absalom!, Vintage

ブコウスキー、チャールズ　Charles Bukowski
『ポスト・オフィス』坂口緑訳、幻冬舎アウトロー文庫
『勝手に生きろ！』都甲幸治訳、学研
Post Office, Black Sparrow Press
Factotum, Black Sparrow Press

プラス、シルヴィア　Sylvia Plath
『ベル・ジャー』※(邦題『自殺志願』)田中融二訳、角川書店
「ダディ」『シルヴィア・プラス詩集』所収、吉原幸子・皆見昭訳、思潮社／「お父さん《ダディー》」『シルヴィア・プラス詩集』

『ウォールデン』酒本雅之訳、ちくま学芸文庫／邦題『森の生活』飯田実訳、岩波文庫（上下巻）／『森の生活』真崎義博訳、宝島社文庫／『森の生活――ウォールデン』佐渡谷重信訳、講談社学術文庫
Walden, Signet; Oxford, etc.

ダイベック、スチュアート　Stuart Dybek
「荒廃地域」「ファーウェル」「ペット・ミルク」『シカゴ育ち』所収、柴田訳、白水社
"Blight," "Farwell," "Pet Milk," *The Coast of Chicago* (out of print)

チーヴァー、ジョン　John Cheever
「巨大なラジオ」※（邦題「非常識なラジオ」）鳴海四郎訳、『ニューヨーカー短篇集II』所収、早川書房
"The Enormous Radio," "The Swimmer," *The Stories of John Cheever,* Vintage

ディキンソン、エミリー　Emily Dickinson
『対訳　ディキンソン詩集』亀井俊介編、岩波文庫／『エミリ・ディキンスン詩集』中林孝雄訳、松柏社
Complete Poems, Little, Brown; Faber and Faber

トウェイン、マーク　Mark Twain
『ハックルベリー・フィンの冒険』西田実訳、岩波文庫（上下巻）／『ハックルベリイ・フィンの冒険』村岡花子訳、新潮文庫
『トム・ソーヤーの冒険』大久保康雄訳、新潮文庫
Adventures of Huckleberry Finn, Dover; Oxford, etc.
The Adventures of Tom Sawyer, Dover; Oxford, etc.

ドライサー、シオドア　Theodore Dreiser
※ドライザー『アメリカの悲劇』大久保康雄訳、新潮文庫（上下巻）
An American Tragedy, New American Library

ハウェルズ、ウィリアム・ディーン　William Dean Howells

文社
"The American Father," *China Men,* Vintage; Picador

キンケイド、ジャメイカ Jamaica Kincaid
「母」『川底に』所収、管啓次郎訳、平凡社
『小さな場所』旦敬介訳、平凡社
"My Mother," *At the Bottom of the River,* Plume; Vintage
A Small Place, Plume

サリンジャー、J・D J. D. Salinger
『ライ麦畑でつかまえて』野崎孝訳、白水Uブックス
The Catcher in the Rye, Lb Books; Penguin USA

ジェームズ、ヘンリー Henry James
ジェイムズ『ねじの回転』蕗沢忠枝訳、新潮文庫
ジェイムズ「なつかしい街かど」志村正雄訳、『アメリカ幻想小説傑作集』所収、白水Uブックス
The Turn of the Screw, Dover; Penguin, etc.
"The Jolly Corner," *The Beast in the Jungle and Other Tales,* Dover / *The Jolly Corner and Other Tales,* Penguin, etc.

ショパン、ケイト Kate Chopin
『目覚め』瀧田佳子訳、荒地出版社／宮北惠子・吉岡惠子訳、南雲堂
The Awakening, Penguin; Avon, etc.

ストリンガー、リー Lee Stringer
Grand Central Winter: Stories from the Street, Washington Square Press

セルー、ポール Paul Theroux
※セロー『モスキート・コースト』中野圭二・村松潔訳、文藝春秋
The Mosquito Coast, Penguin USA

ソロー、ヘンリー・デイヴィッド Henry David Thoreau

“Preservation,” *Cathedral*
“Menudo,” *Elephant,* Vintage; Harvill / *Where I'm Calling From*

カポーティ、トルーマン　Truman Capote
「ミリアム」『夜の樹』所収、川本三郎訳、新潮文庫／『20世紀アメリカ短篇選』下巻所収、大津栄一郎訳、岩波文庫
『遠い声　遠い部屋』河野一郎訳、新潮文庫
「クリスマスの思い出」『ティファニーで朝食を』所収、龍口直太郎訳、新潮文庫／『クリスマスの思い出』村上春樹訳、文藝春秋
“Miriam,” *The Grass Harp,* Vintage
Other Voices, Other Rooms, Vintage
“A Christmas Memory,” *Breakfast at Tiffany's,* Randam House

キージー、ケン　Ken Kesey
『カッコーの巣の上で』岩元巌訳、冨山房
One Flew Over the Cuckoo's Nest, New American Library; Penguin USA, etc.

キャザー、ウィラ　Willa Cather
※『私のアントニーア』磯貝瑶子訳、一粒社
My Ãntonia, Dover; Signet, etc.

ギャラガー、テス　Tess Gallagher
『馬を愛した男』黒田絵美子訳、中央公論新社
The Lover of Horses, Graywolf

ギルマン、シャーロット・パーキンズ　Charlotte Perkins Gilman
「黄色い壁紙」富島美子『女がうつる』所収、富島訳、勁草書房
The Yellow Wallpaper and Other Stories, Dover; *The Yellow Wallpaper and Other Writings*, Bantam, etc.

キングストン、マキシーン・ホン　Maxine Hong Kingston
「アメリカの父」『アメリカの中国人』所収、藤本和子訳、晶

オースター、ポール　**Paul Auster**

『シティ・オヴ・グラス』山本楡美子・郷原宏訳、角川文庫
『幽霊たち』柴田訳、新潮文庫
『ムーン・パレス』柴田訳、新潮文庫
『偶然の音楽』柴田訳、新潮社
City of Glass, Ghosts, The Locked Room: The New York Trilogy, Penguin USA; Faber and Faber
Moon Palace, Penguin USA; Faber and Faber
The Music of Chance, Penguin USA; Faber and Faber

オーツ、ジョイス・キャロル　**Joyce Carol Oates**

"The Model," *Haunted: Tales of the Grotesque,* Plume

オコナー、フラナリー　**Flannery O'Connor**

『善人はなかなかいない　フラナリー・オコナー作品集』横山貞子訳、筑摩書房
『秘義と習俗　フラナリー・オコナー全エッセイ集』上杉明訳、春秋社
A Good Man Is Hard to Find and Other Stories, Harcourt Brace; The Women's Press
The Complete Stories, Noonday; Faber and Faber
Mystery and Manners, Noonday

オブライエン、ティム　**Tim O'Brien**

『ニュークリア・エイジ』村上春樹訳、文春文庫
The Nuclear Age, Penguin USA

カーヴァー、レイモンド　**Raymond Carver**

「ささやかだけれど、役にたつこと」『レイモンド・カーヴァー全集3　大聖堂』所収、村上春樹訳、中央公論新社／『Carver's Dozen』所収、村上春樹訳、中公文庫
「保存」(邦題「保存されたもの」)『レイモンド・カーヴァー全集3』所収
「メヌード」『レイモンド・カーヴァー全集6　象／滝への新しい小径』所収、村上春樹訳、中央公論新社
"A Small, Good Thing," *Cathedral,* Vintage; Panther / *Where I'm Calling From,* Vintage; Harvill

ブックリスト

＊複数の邦訳書がある場合、文庫を優先した。
＊絶版・品切れの訳書（2000年４月現在）は原則として除いたが、ここで挙げたものについては※で記した。
＊原書は入手しやすいペーパーバックを中心に選んだ。

ウィリアムズ、テネシー　Tennessee Williams
『ガラスの動物園』小田島雄志訳、新潮文庫
The Glass Menagerie, New Directions; Penguin

ウォートン、イーディス　Edith Wharton
『歓楽の家』佐々木みよ子・山口ヨシ子訳、荒地出版社
The House of Mirth, Signet; Penguin, etc.

エマソン、ラルフ・ウォルドー　Ralph Waldo Emerson
「自己信頼」※『エマソン論文集』上巻所収、酒本雅之訳、岩波文庫
Self-Reliance and Other Essays, Dover

エリクソン、スティーヴ　Steve Erickson
『黒い時計の旅』柴田訳、福武文庫
Tours of the Black Clock (out of print)

エリソン、ラルフ　Ralph Ellison
※エリスン『見えない人間』橋本福夫訳、ハヤカワ文庫（全２巻）
Invisible Man, Vintage; Penguin

オーウェル、ジョージ　George Orwell
「鯨の腹のなかで」鶴見俊輔訳、『鯨の腹のなかで　オーウェル評論集３』所収、平凡社ライブラリー／「鯨の腹の中で」『オーウェル評論集』所収、小野寺健訳、岩波文庫
Inside the Whale and Other Essays, Penguin

『目覚め』（ショパン） *The Awakening* 60-66, 69
「メヌード」（カーヴァー） "Menudo" 161-66
メルヴィル Herman Melville 37, 56, 63, 66-67, 69-71, 98-99, 133
『モスキート・コースト』（セルー） *The Mosquito Coast* 73, 76, 82
「モデル」（オーツ） "The Model" 105
モリソン Toni Morrison 170
『森の生活』 →『ウォールデン』

【ヤ行】

『幽霊たち』（オースター） *Ghosts* 130
『世の半分は如何に暮らしているか』（リース） *How the Other Half Lives* 175

【ラ行】

ライト Richard Wright 60
『ライ麦畑でつかまえて』（サリンジャー） *The Catcher in the Rye* 10, 62, 63, 88, 89, 90
リース Jacob Riis 175
「リジイア」（ポー） "Ligeia" 39
『理由なき反抗』（レイ） *Rebel Without a Cause* 63
ローズヴェルト Theodore Roosevelt 175
ロス、フィリップ Philip Roth 140
ロス、ヘンリー Henry Roth 137
『ロミオとジュリエット』（シェークスピア） *Romeo and Juliet* 56, 160
ロレンス D. H. Lawrence 125-28, 134
ロンドン Jack London 169

【ワ行】

『私のアントニーア』（キャザー） *My Ântonia* 106
「私は誰でもない！ あなたは誰？」（ディキンソン） "I'm Nobody! Who Are You?" 128-29

『プロテスタンティズムの倫理と資本主義の精神』(ヴェーバー)　*Die protestantische Ethik und der Geist des Kapitalismus*　122
「文学と階級」(三浦)　173-74
「ペット・ミルク」(ダイベック)　"Pet Milk"　152, 157-58
ヘミングウェイ　Ernest Hemingway　138, 173
ヘラー　Joseph Heller　88, 89, 100
『ベル・ジャー』(プラス)　*The Bell Jar*　63
ホイットマン　Walt Whitman　129, 134
ボウルズ　Paul Bowles　176
ポー　Edgar Allan Poe　19, 37-39, 41, 73
ホーソーン　Nathaniel Hawthorne　104, 130
『ポートノイの不満』(フィリップ・ロス)　*Portnoy's Complaint*　140-41
「ぼくの親戚モーリノー少佐」(ホーソーン)　"My Kinsman, Major Molineux"　104-5
『ポスト・オフィス』(ブコウスキー)　*Post Office*　120, 131-34
「保存」(カーヴァー)　"Preservation"　102-3
ホッパー　Edward Hopper　159
『ホパロング・キャシディ』(マルフォード)　*Hopalong Cassidy*　125

【マ行】

マーク・トウェイン　Mark Twain　8
『マクベス』(シェークスピア)　*Macbeth*　57-58
『貧しいリチャードの暦』(フランクリン)　*Poor Richard's Almanack*　128
『マタイ伝』　*St. Matthew*　115
マッカラーズ　Carson McCullers　112-13
マラマッド　Bernard Malamud　104, 107, 110, 111, 138
マリア　→聖母マリア
三浦雅士　173
『見えない人間』(エリソン)　*Invisible Man*　8, 16-21, 172, 174
ミラー　Henry Miller　24-32, 39
「ミリアム」(カポーティ)　"Miriam"　40-41
『ムーン・パレス』(オースター)　*Moon Palace*　119
村上春樹　63

【ハ行】

「バートルビー」　→「代書人バートルビー」

ハウェルズ　William Dean Howells　72

『白鯨』（メルヴィル）　*Moby-Dick*　37, 63, 67, 97-101, 106

『ハックルベリー・フィンの冒険』（マーク・トウェイン）　*Adventures of Huckleberry Finn*　8-18, 22, 85-86, 106

バッハ　Johann Sebastian Bach　184

「母」（キンケイド）　"My Mother"　141-42

ハムスン　Knut Hamsun　28

『パリ・ロンドン放浪記』（オーウェル）　*Down and Out in Paris and London*　28

パワーズ　Richard Powers　168, 180-81, 183-84

『ピエール』（メルヴィル）　*Pierre*　56, 66-71

『秘義と習俗』（オコナー）　*Mystery and Manners*　117

「非常識なラジオ」　→「巨大なラジオ」

ヒトラー　Adolf Hitler　144

ヒューズ　Ted Hughes　145

ピンチョン　Thomas Pynchon　100, 179

「ファーウェル」（ダイベック）　"Farwell"　33

フィードラー　Leslie A. Fiedler　17

フィッツジェラルド　F. Scott Fitzgerald　63, 73, 124

フィリップス　Jayne Anne Phillips　136, 145

フォアマン　Milos Forman　88

フォークナー　William Faulkner　72, 77, 81, 173

ブコウスキー　Charles Bukowski　120, 130, 133-35

『舞踏会へ向かう三人の農夫』（パワーズ）　*Three Farmers on Their Way to a Dance*　181-84

プラス　Sylvia Plath　62-63, 144-45

プラトン　Plato　123

フランクリン　Benjamin Franklin　57, 75, 120, 122-23, 125-30, 134

『フランクリン自伝』　*The Autobiography of Benjamin Franklin*　57, 75, 120-24

フランチェスコ　→聖フランチェスコ

『善悪の彼岸』(ニーチェ)　*Jenseits von Gut und Böse*　55
「1934年」(フィリップス)　"1934"　136, 145-48
「善人はなかなかいない」(オコナー)　"A Good Man Is Hard to Find"　112-18
ソクラテス　Socrates　123
ソロー　Henry David Thoreau　72-73, 74, 76, 81

【タ行】

ターケル　Studs Terkel　130
「タール博士とフェザー教授の療法」(ポー)　"The System of Doctor Tarr and Professor Fether"　38-39
「代書人バートルビー」(メルヴィル)　"Bartleby, the Scrivener"　133
ダイベック　Stuart Dybek　32-33, 152, 157-61, 164, 166
「ダディ」(プラス)　"Daddy"　143-45
チーヴァー　John Cheever　152, 155, 165-66
『小さな場所』(キンケイド)　*A Small Place*　177-78
ディキンソン　Emily Dickinson　129, 134-35
トウェイン　→マーク・トウェイン
「峠の我が家」　"Home on the Range"　86-87
『遠い声　遠い部屋』(カポーティ)　*Other Voices, Other Rooms*　104
『トム・ソーヤーの冒険』(マーク・トウェイン)　*The Adventures of Tom Sawyer*　8-9
ドライサー　Theodore Dreiser　57, 59

【ナ行】

「なつかしい街かど」(ジェームズ)　"The Jolly Corner"　42-49, 52
夏目漱石　45
『何でも屋』　→『勝手に生きろ!』
ニーチェ　Friedrich Wilhelm Nietzsche　55
『二十一世紀の資本主義論』(岩井)　178-79
『ニュークリア・エイジ』(オブライエン)　*The Nuclear Age*　86
「ねじの回転」(ジェームズ)　"The Turn of the Screw"　40, 48-55

『黒い時計の旅』(エリクソン)　*Tours of the Black Clock*　148
「荒廃地域」(ダイベック)　"Blight"　160-61
コーマン　Roger Corman　41
『コール・イット・スリープ』(ヘンリー・ロス)　*Call It Sleep*　137-38, 150
『黄金虫変奏曲』(パワーズ)　*The Gold Bug Variations*　168, 184-86
『心は孤独な狩人』(マッカラーズ)　*The Heart Is a Lonely Hunter*　112-13
『ゴルトベルク変奏曲』(バッハ)　*Goldberg-Variationen*　184

【サ行】

『サイラス・ラッパムの向上』(ハウェルズ)　*The Rise of Silas Lapham*　72, 74, 82
「ささやかだけれど、役にたつこと」(カーヴァー)　"A Small, Good Thing" 33-37
サリンジャー　J. D. Salinger　10, 62, 88
ザンダー　August Sander　181
シェークスピア　William Shakespeare　57, 160, 168, 184-86
ジェームズ　Henry James　40, 42, 45, 48, 53
『ジェーン・エア』(シャーロット・ブロンテ)　*Jane Eyre*　48-49
「自己信頼」(エマソン)　"Self-Reliance"　95
『仕事!』(ターケル)　*Working*　130
『自殺志願』　→『ベル・ジャー』
シスネロス　Sandra Cisneros　170
『シティ・オヴ・グラス』(オースター)　*City of Glass*　21-23
シュワンクマイエル　Jan Švankmajer　73-74
ショパン　Kate Chopin　60
スタインベック　John Steinbeck　173, 174
ストリンガー　Lee Stringer　168-69, 171, 174-76
聖フランチェスコ　St. Francis　107-8, 110-11
聖母マリア　The Virgin Mary　117-18
「生命の糧」(ミラー)　"The Staff of Life"　31-32
「赤死病の仮面」(ポー)　"The Masque of the Red Death"　41-42
『赤死病の仮面』(映画 コーマン)　*The Masque of the Red Death*　41
セルー　Paul Theroux　73

オコナー　Flannery O'Connor　112-14, 116-18
オニール　Ryan O'Neal　171, 174
オブライエン　Tim O'Brien　86, 176-77
「泳ぐ人」（チーヴァー）　"The Swimmer"　155-57

【カ行】

カーヴァー　Raymond Carver　33, 101-3, 161-62, 164-66, 170-71, 172-75
『カッコーの巣の上で』（キージー）　*One Flew Over the Cuckoo's Nest*　88, 89, 90
『勝手に生きろ！』（ブコウスキー）　*Factotum*　134
『悲しき酒場の唄』（マッカラーズ）　*The Ballad of the Sad Café*　112
カポーティ　Truman Capote　37, 40, 104
『ガラスの動物園』（ウィリアムズ）　*The Glass Menagerie*　141
『歓楽の家』（ウォートン）　*The House of Mirth*　76-77, 106
キージー　Ken Kesey　88, 100
「黄色い壁紙」（ギルマン）　"The Yellow Wallpaper"　41, 65-66, 77
『北回帰線』（ミラー）　*Tropic of Cancer*　24-31
キャザー　Willa Cather　106
『キャッチ＝22』（ヘラー）　*Catch-22*　88, 89, 90-97
ギャラガー　Tess Gallagher　148
『競売ナンバー49の叫び』（ピンチョン）　*The Crying of Lot 49*　100-101
「巨大なラジオ」（チーヴァー）　"The Enormous Radio"　152-55, 158, 165-66
キリスト　→イエス・キリスト
ギルマン　Charlotte Perkins Gilman　41, 77
キングストン　Maxine Hong Kingston　148, 169
キンケイド　Jamaica Kincaid　142, 170, 177-78
『偶然の音楽』（オースター）　*The Music of Chance*　86
「鯨の腹のなかで」（オーウェル）　"Inside the Whale"　28
『グランド・セントラル駅の冬』（ストリンガー）　*Grand Central Winter*　169, 171-76
「クリスマスの思い出」（カポーティ）　"A Christmas Memory"　37
『グレート・ギャツビー』（フィッツジェラルド）　*The Great Gatsby*　63, 73, 82, 110, 122-25

索引

【ア行】

アードリック　Louise Erdrich　169
アームストロング　Louis Armstrong　18
『アシスタント』（マラマッド）　*The Assistant*　104, 107-11, 118, 138
「あたしの母さん」　→「母」
「アッシャー家の崩壊」（ポー）　"The Fall of the House of Usher"　39, 73
『アッシャー家の没落』(映画 シュワンクマイエル)　*Zanik domu Usheru*　73-74
『アブサロム、アブサロム！』（フォークナー）　*Absalom, Absalom!*　72, 77-84, 110, 122
『アメリカ古典文学研究』（ロレンス）　*Studies in Classic American Literature*　125-28
「アメリカの父」（キングストン）　"The American Father"　148-51
『アメリカの悲劇』（ドライサー）　*An American Tragedy*　57-59, 60
『アメリカの息子』（ライト）　*Native Son*　60
イエス・キリスト　Jesus Christ　114-16, 123
「愛しい街角」　→「なつかしい街かど」
岩井克人　178-79
「インディアン村」（ヘミングウェイ）　"The Indian Camp"　138-40
ウィリアムズ　Tennessee Williams　141
『飢え』（ハムスン）　*Sult*　28
「ウェイクフィールド」（ホーソーン）　"Wakefield"　130
ヴェーバー　Max Weber　122
『ウェスト・サイド物語』（ワイズ）　*West Side Story*　160
ウォートン　Edith Wharton　76, 106
『ウォールデン』（ソロー）　*Walden*　72-73, 74-75
「馬を愛した男」（ギャラガー）　"The Lover of Horses"　148
エマソン　Ralph Waldo Emerson　95, 129
エリクソン　Steve Erickson　24, 148
エリソン　Ralph Ellison　8, 16-17, 172
オーウェル　George Orwell　28
オースター　Paul Auster　22-23, 86, 119, 130
オーツ　Joyce Carol Oates　105

88ページ図版提供＝UNIPHOTO PRESS

講談社現代新書　1501
アメリカ文《ぶん》学《がく》のレッスン
二〇〇〇年五月二〇日第一刷発行　二〇一九年八月二二日第一〇刷発行
著者　柴《しば》田《た》元《もと》幸《ゆき》

発行者　渡瀬昌彦
発行所　株式会社講談社
東京都文京区音羽二丁目一二―二一　郵便番号一一二―八〇〇一
電話　〇三―五三九五―三五二一　編集（現代新書）
〇三―五三九五―四四一五　販売
〇三―五三九五―三六一五　業務
装幀者　中島英樹
印刷所　豊国印刷株式会社
製本所　株式会社国宝社

定価はカバーに表示してあります　Printed in Japan

N.D.C.930　206p　18cm
ISBN4-06-149501-1

「講談社現代新書」の刊行にあたって

教養は万人が身をもって養い創造すべきものであって、一部の専門家の占有物として、ただ一方的に人々の手もとに配布され伝達されうるものではありません。

しかし、不幸にしてわが国の現状では、教養の重要な養いとなるべき書物は、ほとんど講壇からの天下りや単なる解説に終始し、知識技術を真剣に希求する青少年・学生・一般民衆の根本的な疑問や興味は、けっして十分に答えられ、解きほぐされ、手引きされることがありません。万人の内奥から発した真正の教養への芽ばえが、こうして放置され、むなしく滅びさる運命にゆだねられているのです。

このことは、中・高校だけで教育をおわる人々の成長をはばんでいるだけでなく、大学に進んだり、インテリと目されたりする人々の精神力の健康さえもむしばみ、わが国の文化の実質をまことに脆弱なものにしています。単なる博識以上の根強い思索力・判断力、および確かな技術にささえられた教養を必要とする日本の将来にとって、これは真剣に憂慮されなければならない事態であるといわなければなりません。

わたしたちの「講談社現代新書」は、この事態の克服を意図して計画されたものです。これによってわたしたちは、講壇からの天下りでもなく、単なる解説書でもない、もっぱら万人の魂に生ずる初発的かつ根本的な問題をとらえ、掘り起こし、手引きし、しかも最新の知識への展望を万人に確立させる書物を、新しく世の中に送り出したいと念願しています。

わたしたちは、創業以来民衆を対象とする啓蒙の仕事に専心してきた講談社にとって、これこそもっともふさわしい課題であり、伝統ある出版社としての義務でもあると考えているのです。

一九六四年四月　**野間省一**